文春文庫

江戸彩り見立て帖

朱に交われば

坂井希久子

文藝春秋

目次

刈安(かりやす)と鬱金(うこん) 7
ゆかりの色 51
朱に交われば 97
流行りの色 143
色の名は 189

江戸彩り見立て帖　朱に交われば

刈安（かりやす）と鬱金（うこん）

一

行きたくない。

この期に及んで、そう思う。上がり口に座って下駄を履き、お彩は溜め息を落とす。

八月もすでに半ば。暑さが去って過ごしやすくなり、繕い物の仕事も捗るいい季節だ。

それなのになぜ、わざわざ時を割いて見たくもない顔を見に行かねばならないのか。

まったく気が進まないし、立ち上がる気力も湧かない。そうやってぐずぐずしていたら、後ろから背中を叩かれた。

「いつまで座ってやがんでぇ。ほら、さっさと行った行った。後がつかえてんだ」

父、辰五郎だ。寝てばかりだったころが嘘のように、その声には張りがある。饐えたようなにおいを体から発することもなく、小ざっぱりとした木綿の着物に身を包んでいた。

「右近さんが何度も足を運んでくだすって、お前もやると決めたんじゃねぇか。なにを尻込みしてやがる」

これは尻込み、なのだろうか。

今から向かおうとしている先は、本石町二丁目にある呉服屋、塚田屋だ。かねてから右近に懇願されていた呉服の色見立てを、ついに引き受けてしまった。

もはや右近の、粘り勝ちである。荷が重いと断っても、手土産を持って幾度となく日蔭町を訪ねてきた。それも、辰五郎が在宅のときを狙ってである。

辰五郎は仕事を世話してくれた右近に対し、ひとかたならぬ恩義を感じている。「ありがたい申し出じゃねぇか。なんの文句があるってんだ」とお彩を叱り、「至らねぇところもあるでしょうが、どうぞよろしくお頼みします」と、勝手に話を進めようとする始末。父親を味方につけられては、頑なに断り続けることができなかった。

たしかに、ありがたい話ではあるのだ。色の見立てや指南をするだけで、日当は銀六匁。塚田屋は京を本店とする大店で、噂を集めてみても怪しげなところはない。それでもやっぱり気が乗らないのは、新しいことを前にして、尻込みをしているからなのだろうか。

そりゃあそうだ。「あんさんの才は、金を産みますえ」などと言われても、ただ錦絵が好きで、摺師だった辰五郎の仕事を間近に見てきただけのこと。色について特別な勉強をしたわけではない。つまりお彩は自分自身に、才など感じていないのだ。

とても、務まる気がしない。行きたくないと、腰が重くなるのも道理であった。

「あんまり遅いと、塚田屋から迎えが来ちまうぞ。人様の手を煩わすんじゃねぇ」

辰五郎が、手にした杖で尻を突いてくる。お彩はしかたなく立ち上がり、唇を尖らせた。

「なによ。お父つぁんこそ、私の手を煩わせっぱなしだったくせに」

「その俺を、ここまで立ち直らせてくだすったのは誰だ。忘れたわけじゃあるめぇな」

厠(かわや)ですら人に手を引いてもらわねば行けなかったのに、今や辰五郎は杖一本で歩き回れるまでになった。抜け殻のようになって酒を飲むばかりだった父に息を吹き込んでくれたのは、他ならぬ右近である。今の俺にもやれることがある。そう悟ってからの辰五郎は、目を見張るほどの早さで立ち直っていった。

土間に下駄を並べてやると、辰五郎は杖の先でたしかめてからするりと履く。右近に紹介してもらった興行の仕事は、もともと夏の間だけと決まっていた。浅草の奥山に小屋をかけていた徳次郎も、次の場所へと移ったようだ。

それでも辰五郎は前のようには腐らずに、毎日外へ出かけてゆく。徳次郎の紹介で、芝神明宮(しばしんめいぐう)の門前に建ち並ぶ芝居小屋の呼び込みをしているそうだ。

芝神明ならここ日蔭町からは目と鼻の先。行き帰りの心配もしなくていい。「だからお前は自分の力を存分に試してきな」と辰五郎は言う。

「さ、行くぞ」

勢いよく入り口の板戸が開かれる。日蔭町に朝日は差さず、秋草の陰ではコオロギが鳴いている。お彩はもう一度溜め息をついて、上がり口に置いてあった風呂敷包みと辰五郎の弁当を取り上げた。

「芝神明まで、送って行こうか」

「馬鹿言ってやがる。本石町とは方角が反対じゃねぇか」

お彩から弁当を受け取ると、辰五郎はフンと鼻を鳴らした。

「べつにしくじったって、失うものはなにもねぇ。今の俺たちの強みはそれだ」

作業場を焼き、弟子たちは散り散りになり、辰五郎は光まで失った。お彩たちにはもう、お互い以外に失って困るものはない。

「それもそうね」と呟(つぶや)くと、少しばかり気が楽になった。

南へ向かう辰五郎を見送って、お彩は日本橋を指してゆく。

暑くもなければ寒くもない、いい日和(ひより)だ。そのぶん人出が多く、真っ直ぐ前には進めない。そこここで物売りの声がし、駕籠屋(かごや)が「えっほ、えっほ」と走り抜ける。「ちょいとごめんよ」という声に振り返れば、酒樽を積み上げた大八車(だいはちぐるま)が近づいてきており、慌てて脇に避けたりもする。

近ごろは、鳩羽鼠(はとばねずみ)が人気のようね。

道行く女たちの着物に目を留めて、流行りの色を探るのはいつものこと。鳩羽は山鳩の背羽の色。赤みのある灰紫(はいむらさき)をいう。地味ながら落ち着いた色気のある、いい色だ。後染めの着物は特に、光沢があって美しい。

今はまだ単衣の季節だが、裏をつけて裾模様を覗かせるともっと粋になるだろう。帯は黒繻子か更紗、博多帯もよさそうだ。

そんなことを考えながら京橋を越えると、人通りはさらに増えた。ふわふわとした狆の尻尾のようなものが目の端をよぎり、顔を向けてみれば薄売りだ。そういえば、明日は十五夜である。

今年は、お供えのお団子を作ろうか。

三年前の火事以来、まともに月見もしていない。どれだけ月が丸くても、辰五郎にはもう見えないのだ。その事実を、ことさらに突きつけることもあるまいと思っていた。

でも、今のお父つぁんなら。

たとえ見えなくても、昔見た月を胸に描くことはできる。その月はきっと、皓々として明るいのだろう。二人並んで空を見上げても、辰五郎はもう塞ぎ込みはしないはずだ。

「ちょっとあんさん、どいとくれやす」

「えっ！」

唐突に、後ろから肩を摑まれた。力任せに押しのけられ、お彩はその勢いで傍らをゆく薄売りにぶつかった。

天秤棒が傾ぎ、もろともに横倒しになる。薄の束に、顔を突っ込んでしまった。

「なんでぇ！」

怒鳴られても、身を起こすので精一杯。お彩の代わりに「すんまへんなぁ」と謝ったのは、さっきと同じ男の声だ。

「急いでますよって、堪忍！」

そう言いながら、人混みを掻き分けて走り去ってゆく。

白々しいほどの上方言葉だ。狐に似た男の面影が一瞬頭をよぎったが、ちらりと見えた顔は似ても似つかない。深緑色の着物の裾をからげた後ろ姿は、あっという間に小さくなってしまった。

「待ちやがれ。誰か、あいつを摑まえてくれ」

それに遅れることしばし。天水桶にでも突っ込んだのか、全身ずぶ濡れの男が後を追いかけてきた。左足を痛めたらしく引きずりながら、健気に声を張り上げる。見世の屋号らしきものを染め抜いた半纏(はんてん)から、ぽたりぽたりと水が滴(したた)る。

「ああ、ありゃ馬から逃げてんだな」

「馬？」

「付け馬さ」

薄売りに教えられ、お彩もなるほどと頷(うなず)いた。付け馬というのは妓楼での勘定が払えない客について、家まで取り立てに行く若い衆のことだ。取り逃がすと勘定を踏み倒されてしまうから、簡単に諦めるわけにはいかないのだろう。

　さっきの男は脇道にでも逸(そ)れたのか、もはや影も形もない。「あっちに行ったよ」と町の人に教えられ、若い衆は足を庇(かば)いつつ走って行った。

「ろくでもねぇ野郎だな。姉さん、大丈夫かい」

「ええ。こちらこそ、売り物に倒れ込んでしまってすみません」

「なぁに、とっさに手をついてくれたから潰れちゃいねぇ。怪我がなくてなによりだ」

薄売りが頬(ほ)っ被(かむ)りにしていた手拭いを外し、お彩の顔に貼りついた薄の穂絮(ほわた)を払ってくれる。傷になるほどではないが、微かに頬がひりついている。

　お彩は周りに散らばった薄を拾い集め、「失礼しました」と頭を下げた。

二

見知らぬ男に突き飛ばされて倒れるなんて、のっけから縁起が悪い。やっぱり塚田屋での色見立てはうまくいかないんじゃないかと、嫌な予感がする。いっそのこと、元来た道を戻って家に帰ってしまいたい。

　後ろ向きな気持ちが歩みを鈍らせる。それでもお彩は己を励まし、どうにか本石町二丁目にたどり着いた。

塚田屋はまだ開いたばかりで、小僧が店の前を掃き清めている。お彩はその手前でいったん足を止めた。

間口十間の、堂々たる大店だ。土蔵造りの二階家で、漆喰（しっくい）は塗りたてのように白い。屋号を染め抜いた大暖簾（のれん）は、土埃に汚れてもいなかった。

なんとも隙のない店構え。せめて暖簾がもう少し日焼けでもしていれば、これほど気圧（けお）されることもなかったろうに。

場違いにもほどがある。こんな店に通う客に、満足してもらえる見立てなどできるものか。そう思うからどうしても、次の一歩が踏み出せない。

躊躇（ためら）っているうちに、奉公人がもう一人表に出てきた。知っている顔だ。あちらでもお彩に気づき、「ああ」と駆け寄ってくる。

「おはようございます、お彩さん。お待ちしておりました」

手代（てだい）の正吉（しょうきち）だ。折り目正しく挨拶をして、輝く瞳を向けてきた。

そういえば正吉は、色について学びたがっているのだった。お彩が挨拶を返す間も待ちきれず、「さぁさぁ」と背中を押してくる。そうしてついに、お彩は塚田屋の敷居（しきい）を跨（また）いでしまった。

「右近さん、お彩さんがお越しになりました」

幸いにも、客はまだいなかった。その代わり、帳場から刺すような眼差しが注がれる。

鷲鼻をそびやかし、番頭がこちらを睨みつけていた。少しでもしくじりをしようものなら、すぐさま追い出されそうな気迫である。

「ああ、お彩はん」

広い売り場に反物を広げ、手代になにやら指図していた右近が顔を上げた。今日も京紫の小袖に黒羽織。狐に似たにやけ面が、お彩を見るなりふいに曇る。

「これはこれは。いつもの形やおへんか」

音もなく立ち上がり、近づいてきた。履物に足を通し、お彩が佇む土間に下り立つ。

「わてがお贈りした着物、お気に召しまへんどした？」

「持って来ています。ほら、ここに」

お彩は手にしていた風呂敷包みを、胸に抱いて見せた。中に入っているのは万筋と呼ばれる、遠目には無地に見えるほど細い縞の着物だ。仕事のときにはこれを着るようにと、右近が用意してくれた一枚である。

しかしお彩が身に着けているのは、御納戸色に媚茶の縞が入った木綿の一張羅である。季節によって裏地をつけたり綿を入れたりと一年中着ているため、さすがに色が褪めてきた。この格好では、たしかに客から足元を見られるだろう。

「着て来はったらよろしいのに」

「無理です。こちとら貧乏長屋住まいですよ。真新しい絹物なんか着て歩いていたら、ご近所さんになんと思われるか」

右近を前にすると、いつもの調子が戻ってきた。「裏店のおかみさんたちの噂好きを舐めないでください」と、お彩はそっぽを向く。

「ただでさえ、右近さんの出入りが噂になっているんですから」

「なるほど。ほなお彩はんが唐突にええべべを着だしたら、わてが囲ってるみたいに見えるゆうことどすな」

「やめてください。冗談でもゾッとします」

「ひどい言われようやなぁ」

塚田屋で仕事をするといっても、お彩はべつに奉公人という扱いではない。色見立て役として、外から手を貸すという形を取るようだ。そのせいか、今までどおりの態度で接しても、右近は気にせず笑っている。

「それで、お化粧もしてはらへんと」

「普段から、化粧っ気がありませんから」

「化粧道具一式も贈りまひょか」

「やめてください」

お彩の住む部屋には、鏡台すらない。火事で焼け出されてからこちら、辰五郎を支えて生きてゆくことに必死で、身を飾るなど無駄なことと諦めてしまった。許嫁にすら逃げられた身だ。今さら女として、誰かに見初められたいとも思わない。

それに元から、化粧をすることは稀だったのだ。道具一式をもらったところで、うまくできるはずもなかった。

風呂敷包みを抱く腕に、我知らず力がこもる。

右近が剃り残しの一本もない顎を、つるりと撫でた。

「ふむ。そんならまぁ、ひとまず奥で着替えてもらいまひょか」

そう言って身を翻し、土間伝いに歩いてゆく。ついてこいということだろう。

奥へと続く暖簾を分けて先へ進むと、そこはだだっ広い台所だった。奉公人を多く抱えているため、竈は七つも連なっている。朝餉の片づけを終えたばかりだろうに、下働きの者は早くも昼餉の用意に取りかかっているようだ。

そこへ奥向きの女中らしき女が、花筒の水を替えにやって来た。

「ああ、ちょぃと」と、右近が手を振って呼び止める。

「お春はんを、奥座敷へ呼んでくれまっか。お頼みしたいことがありますよって」

「はぁ」

塚田屋ほどの大店となると、女中でもお彩よりいいものを着ている。訝しげな目を向けられて、お彩は心持ち肩を縮めた。

「履物は、ここで脱いどくれやす」

土間から板の間へと上がり、板戸を開けて縁側へ出る。池泉回遊式の庭には目につくだけでも三つの蔵が設けられ、花の盛りの萩が景色を鮮やかに染め上げていた。

本当に、住む世界が違うんだわ。

先を行く右近の背中を眺めながら、つくづくそう思う。恵まれた家の三男に生まれ、自分で店を継ぐわけでもなく「手伝い」と称してふらふらしている。そんな男の気まぐれに、どこまでつき合っていいものか。胸に湧き上がる不安は尽きることがない。

「どうぞ、こちらへ」

右近が突き当たりの部屋の障子を開け、中へと誘う。

奥座敷というだけあって、家族が使う部屋なのだろう。床の間には一幅の書が掛かっているだけで、棚は設けられておらず、代わりに襖戸がついた物入れになっている。

「次からは、裏から入ってここで身支度しはったらよろしいわ。女中にはよう言うときますよって」

そうさせてもらえると、助かる。お彩は素直に「ありがとうございます」と頭を下げた。

障子を閉めて二人きりになると、右近が探るような目を向けてくる。

「それで、やっぱり毎日来てもらうんは難しいんどすな」

「その話はもう、したはずです」

諦めの悪いことだ。お彩が塚田屋に来るのは、前もって客の依頼があったときだけ。幾度かの話し合いの末に、そう決まった。家のこともしなければいけないから、というのは言い訳で、塚田屋にずっと詰めているのは肩身が狭いからである。

だいたい色の見立ての依頼など、そう頻繁にくるのだろうか。右近は自信があるようだが、お彩にはよく分からない。ともかく今の取り決めは、お互い譲歩に譲歩を重ねた末なのだから、守ってもらわねば困る。

「まぁええか。誰彼構わず見立てをするよりは、贔屓にされとるみたいでかえって人気が出そうやし」

「そういうものなんですか」

「そういうもんどす。特に金を持ってはるお人らは、他とは違う扱いをされたがりますよって」

人気が出そうと言われても、お彩にはやはりぴんとこない。「はぁ」と曖昧に頷いて、右近が出て行ってくれるのを待つ。

なにせこれから、着替えをしなければいけないのだ。そのために奥座敷に連れてきたくせに、右近はなかなか立ち去る素振りを見せない。

まさか、目の前で着替えろというわけではあるまい。戸惑っていると、障子の向こう側から声がした。

「右近はん、よろしおすか」

柔らかな、女性の上方言葉だ。右近が返事をすると、音もなく障子が開いた。

姿を現した女は、玉子色の友禅に身を包んでいた。模様は花輪。西陣の綴れ帯を品よく締めて、縁側にちょこなんと座っている。

「お呼びやと伺うて参りましたのやけど、嫌やわお二人とも立ちっぱなしで。おかる、こちらにお茶をお持ちして」

おっとりと微笑みながら話をし、縁側に控えているらしい女中に用を言いつける。ずいぶん若く見えるが、態度からするとこの人が塚田屋のお内儀なのだろう。

御所人形のように肌が白く、小作りな顔立ちだ。仕草も口調も円やかで、せっかちな江戸の女にはない雅やかな色気が漂っている。

「まぁどうぞ、お座りになっとくれやす。お茶もすぐに来ますよって」

生まれも育ちもよさそうだ。着物の裾の捌きかたも、お彩をさり気なく床の間の前へと導く物腰も、流れるようにそつがない。

「お彩はんどすな。うちは春と申します。どうぞ塚田屋のため、お力添えをお頼みします」

「いえ、あの、そんな。こちらこそ」

気品あふれる女性に頭を下げられては、お彩も落ち着かない。しどろもどろになって、負けじと畳に手をついた。

「ところで、うちの旦那はんは？」

右近が言葉を挟んでくれたお蔭で、お春の注意がそちらに逸れる。お彩は密かに胸を撫で下ろした。

「それが、まだ」

「しゃあないお人やな」

今日は客の依頼があったわけでなく、塚田屋の主人に目通りしておくという手筈になっていた。ところが、肝心の人がいないようだ。店が開いたばかりというのに、いったいどこに行ってしまったのか。

「まぁええわ。お春はん、お彩はんを着替えさせて、化粧をしたってくれまへんか」

「えっ、そんな。とんでもない」

自分のために、大店のお内儀の手を煩わせるわけにはいかない。お彩は慌てて首を振る。

だがお春は「そうゆうことやったら、お任せください」と、なぜか嬉しそうに微笑んだ。

「うちは男ばかりの兄弟の末で、ずっと妹が欲し思てましたのや」

ひんやりとした刷毛(はけ)が肌の上を滑るのを感じながら、お彩は目を瞑(つむ)り、お春の語りに耳を傾ける。

「こうやってお化粧を教えたげたり、着物の貸し借りをしたりが憧れどしたんえ。せやし、遠慮のう頼っとくれやす」

そう言われても、さっきから気が張りすぎて肩が痛い。体がかちこちに固まっているのが分かる。顔を寄せられると華やいだよい香りがして、ますます頭がのぼせてくる。

その名のとおり、春の日差しのように暖かな人だ。気さくに話しかけて、お彩の気をほぐそうとしているのも分かる。だが人柄のよさが伝われば伝わるほど、畏(おそ)れ多くて返答に困る。

「それにしても、綺麗なお肌してはるわぁ。お若いからやね」

「とんでもない。お恥ずかしながら、もう二十四で」

「そんなんゆうたら、うちなんか来年は三十路どすわ」

「ええっ！」

てっきり、歳下だと思っていた。とてもそうは見えなくて、思わず目を見開いてしまう。まだ子がいないのか、眉を落としていないため、よけいに若々しい。

お彩の驚愕ぶりが面白かったらしく、お春は「うふふ」と声を立てて笑った。

「右近はんと、歳が同じですねや」

聞けばお春の実家は京の白粉屋で、塚田屋とは祖父母の代からのつき合いだという。ゆえに右近のことも、幼いころからよく知っているそうだ。

「やっぱり子供のころから、ああいう軽薄そうな人だったんですか」

「あらまぁ」

つい気になって、前のめりに尋ねてしまった。お春は微笑みながら、お彩の顎をつまんで顔の位置を戻す。

「そうどすなぁ。両家の男兄弟の中で一番歳が下なんもあって、あのころはよう泣かされてはりましたけども」

「あの、煮ても焼いても食えない右近さんが？」

「せやからうちの部屋へ呼んで、一緒にお手玉遊びなんぞしてました。素直で可愛らし子どしたんえ。春ちゃん、うーちゃんと呼び合う仲で」

「信じられない」

そんな時代が右近にもあったとは。ぽかんと開いたお彩の唇に、お春が紅を手早く塗ってゆく。紅筆をさばく手つきがなんとも優美である。

「この江戸店がなんとかやっていけてるんは、ひとえに右近はんのお蔭どす。軽薄なんは、むしろ――」

そこで言葉を途切れさせて、お春は口をつぐんでしまった。続きを促す気にもなれなくて、お彩もまた目を瞑る。無言のまま、眉や頰、目の際にも刷毛が置かれてゆく。

「はい、できましたえ」

肩を叩かれ、目を開けた。お春が手鏡を差し出してくる。覗き込むと、見慣れぬ顔の女がこちらを見返してきた。

上方風なのか、江戸の女たちより白粉が濃く、唇はぽってりと小さく描かれている。目の際に引かれた紅も切れ長に見せるためではなく、ふんわりとぼかされていた。

「へぇ」

興味深く、角度を変えてまじまじと見てしまう。しょせんは自分の顔だ。美しいとは思わないが、趣の違いが面白い。

「お気に召さはりましたか」

「ええ。紅の幅を小さくするだけで、少し品よく見えるんですね。眉を太めに描いているのも、上方風ですか」

「いいえ。眉は、そのほうが似合うと思うただけで」

そう答えてから、お春はくすくすと笑いだした。お彩がきょとんとしていると、「あ、すんまへん」と詫びてくる。

「さすが、目のつけどころが違わはります。化粧を施された女がまず気にするんは、自分が綺麗になったかどうかだけどすえ」

そういうものなのだろうか。お彩にとっては化粧も白粉の白と紅の赤、眉墨の黒の按排でしかない。

「元々が、たいした顔ではありませんから」

「そんなことあらしまへん。お綺麗どすえ」

気遣いなど無用なのに、優しい人だ。お彩はその真心に対して、「ありがとうございます」と頭を下げた。

「あ、ちょっと失礼」

お春の手が、鬢の後ろに伸びてくる。なにかを摘み上げ、お彩の目の前にかざして見せた。

「ああ、薄の穂絮」

まだ残っていたらしい。お春が立って障子を開け、穂絮を外にふっと吹き飛ばした。

「明日は、お月見やものね。うちでは、薄は飾らしまへんけども」

「上方の習わしですか」

「うちの人がお嫌いどして」

つまり、塚田屋の主人のことだ。好き嫌いは誰しもあるが、薄が嫌いというのも珍しい。

「薄と化け物を、見間違えたことでもあるんでしょうか」

化け物の正体見たり枯れ尾花、というのは誰の句だったか。枯れた薄が風に揺れている様は、闇夜に見ると恐ろしいものだ。

「お彩はんは、ほんに面白いお人どすな」

そんなに面白いことを言ったつもりはないのに、お春はまた朗らかに笑った。

女中を呼び、角盥(つのだらい)や湯桶、刷毛や筆といった化粧道具を下げてもらう。どれも金蒔絵(まきえ)が施されたご大層なもので、化粧道具も贈ろうかという右近の申し出を断ってよかったとつくづく思う。

部屋の中の細々としたものが片づくと、お春はお彩が持ってきた風呂敷包みを解きはじめた。

「ほな、着物も着替えてしまいまひょ。お手伝いします」

三

白地に沈香茶(とのちゃ)の万筋の着物に、紺の博多帯を文庫に結んでもらう。

絹物など着たのははじめてのことで、御召縮緬(おめしちりめん)のシャリシャリとした手触りが慣れない。裾が長いのは動きづらく、端折(はしょ)って扱帯(しごきおび)で留めてしまった。

「お似合いやわぁ。江戸のお人らしい、きりりと引き締まった色使いどすな。これを粋といいますのやろか」

　お春が手放しに褒めてくれるのが、面映ゆい。お彩自身は、分不相応な気がしてならない。

「お彩はんがご自分で見立てはりましたん？」

「見立てというか、好きな色を選べと言われただけで」

　御召は公方様が好んでお召しになったことから、その名で呼ばれるようになった織りの着物だ。そんな由緒正しきものを、身に着ける日が来るとは思わなかった。

「うちもこんな『粋』なんを着てみたいと思いますねやけども、いまひとつ似合いまへん」

「お春さんには、黄みがかった華やかな色が似合いますよ」

「やっぱりそうどすか」

　白粉を塗っていないお春の手の肌は、透けるような明るい色をしている。こういう人は、渋い色を纏うと顔色がくすんで見えがちだ。

「黄みが似合うと、よう言われます。この着物も、右近はんが見立ててくれたもので」

　玉子色の着物は、お春の人となりとも合っている。さすがは幼馴染というところ。右近はお春のことを、よく分かっているようだ。

「渋い色の着物でも、半衿に明るい黄色を持ってくればいいと思います。たとえば菜の花色や、女郎花(おみなえし)。顔映りが変わりますよ」

「なるほど。それはええことを伺いましたわ」

お春が嬉しそうに目を輝かす。歳上とは、とても思えぬ愛らしさである。

「せやわ。うちからお礼に、櫛を贈りまひょ。蒔絵でも螺鈿(らでん)でも、お好きなもんを」

「とんでもない。いただけません」

島田に結ったお彩が前髪に挿しているのは、なんの飾り気もない木の櫛だ。お春の目にはみすぼらしく映ったのかもしれず、こんな申し出をしているのだろう。

「欲のないお人やなぁ」

「違います。私に使われるなんて、せっかくのいい櫛がもったいないですから」

「またそんなこと言わはって」

偽らざる気持ちを述べても、生まれたときから高価なものに囲まれて生きてきたお春には伝わらない。きっと自分の前髪に挿している、光琳(こうりん)菊模様の螺鈿櫛がどれほどの値かも知らないのだ。

住む世界が違いすぎる。と、あらためて思った。

「すんまへん。そろそろよろしいか」

右近が様子を見にきたらしく、障子越しに声をかけてくる。ちょうどいいところへ来てくれた。お春が「どうぞ」と返事をする。

「おや、これはこれは。見違えましたわ」

部屋に入ってきた右近が、目を細めて世辞を言う。お春の気が逸れてくれたなら、もう充分だ。お彩は「どうも」と聞き流した。

「いや、ほんまどすえ」

「右近さんにどう思われようと、知ったことではありません」

「ひどいわぁ。わてとお彩はんの仲やのに」

「私と『うーちゃん』が、どうかしました？」

きっとこの呼び名は、右近にとっては恥部のはず。いつもやられっぱなしではつまらないから、やり返してみる。

珍しいことに、右近の首元が赤く染まった。

「いややわ。なにを喋らはったんどすか」

口調は批難めいているのに、お春に向けられた眼差しがひどく優しい。「うふふ」と微笑むお春を、右近は眩しげに眺めていた。

なんだか見てはいけないものを、見た気がする。お彩は衿の合わせを直すふりをして、下を向いた。

そんなまさかと、動悸がする。かつての幼馴染で、今は義理の姉。いくらなんでも、不毛ではないか。

「ところで、うちの人はまだ？」

「まだどすわ。あの人、いつからおらしまへんの」

「三日前にはおりましたけども」

お春と右近の会話も、妙に遠くから聞こえるようだ。とそこへ、背後の障子が勢いよく開いた。

「わてがなんやて？」

突然の登場に、お彩はびくりと肩を震わせた。振り返ってみて、さらに愕然とする。口を開けても、すぐには声が出てこない。

「二人して、なにをコソコソしとるんや。やーらしの」

「お兄さんこそ、やっと帰って来はったんどすか」

右近が大仰に溜め息をつく。ここ数日留守にしていたのなら、呆れるのも無理はない。どこに行っていたか、お彩には見当がついた。

からげていた深緑色の着物の裾を直し、主人と思しき男がどさりと上座に腰を下ろす。それからはじめてお彩に気づいたように、こちらを見た。

「ほんで、なんやこの女子(おなご)はんは」

問われてようやく、お彩に声が戻ってきた。

「さっきの、付け馬に追われていた人！」

そのとたん主人が飛び上がり、お彩の口を手で押さえた。

「せやから、すまん言うてるやろ。あんたもたいがいしつこいのぉ」

上座に座り直した主人が、腹を掻きながら不満を洩らす。居住まいの整った右近とは違い、立膝(たてひざ)で、白い下帯が見えている。

兄弟と、言われなければ分からないほど似ていない。細身で長身の右近に対し、兄は短軀(たんく)。目元も切れ長とギョロ目。似通ったところを探すほうが難しい。

「しつこくもなりますわ。塚田屋の旦那が妓楼の勘定を踏み倒したなんて知れたら、大恥どすえ。北ならお茶屋さんがあんじょうしてくれますのに、なんでまた南へ行かはるんか」

「決まっとるやろ。わてかてたまには河岸(かし)を変えてみたいんや」

北とは吉原、南は品川の遊里を指す。吉原ならばツケで遊べるよう、引手茶屋に話をつけてあるのだろう。

「決して遊ぶなとは言いまへんから、綺麗に遊んどくれやす」

飄々(ひょうひょう)として摑みどころのない右近を困らせるとは、相手はそうとうの曲者(くせもの)だ。

お春は品川の妓楼の名を聞き出すと、すぐに立って出て行った。未払いの勘定を、届けさせる手配をしているのだ。そこには迷惑料や、足を痛めた若い衆への詫び賃も入るに違いない。

それだけのことをしておきながら、主人は「細かいこと言いなや」とふて腐れている。

「今日は色見立て役のお彩はんが来ることも、お伝えしてましたやろ」

「やかまし。分かっとるから、こうして帰ってきとるんやないか」

こんな人が、江戸店の主で大丈夫なのだろうか。老婆心ながら行く末を心配していると、主人がふいにこちらを向いた。

「あんさんがお彩はんか。花里(はなさと)の仕掛(しかけ)、おおきにやで。お蔭さんで、店の名がえらい上がったわ」

花里は吉原の大見世、丁子屋(ちょうじや)の花魁(おいらん)だ。右近にまんまと乗せられて、お彩が仕掛の見立てをした。さる大店の旦那からの、贈り物と聞かされていた。

「花里さんを、ご存知なんですか」

「そりゃまぁ、わての敵娼(あいかた)でもあるからな」

なら本来は、恋敵。なのに主人は花里を通し、大仕事の注文を取りつけたそうだ。

「遊ぶんも、仕事のうち。こう見えてわても働いとるんやで」

店の名を下げるような真似もしているくせに、けろりとしたものである。女中が置いて行った湯呑を手に取り、茶を啜(すす)った。

「そうは言うても、刈安(かりやす)兄さん」

「その名前で呼ぶなや！」

ぱしゃりと水音がして、お彩は目を見張る。右近の着物の胸元が、浴びせられた茶で濡れている。

淹れたてでなかったのは幸いか。右近は熱がることなく、動じた様子もない。

「かりやす――」

思わず、呟いてしまった。それが、主人の名か。

刈安の尖った眼差しがお彩を捉える。しまったと思ったが、興味を抑えきれなかった。

「染め草の、刈安ですか」

あまりにも真っ直ぐに尋ねられ、怒りを削がれたのか。刈安は「ハッ」と笑って、空になった湯呑を置いた。

「せや。どこにでも生えとって、刈りやすいっちゅう刈安や。安っぽい名前やろ」

刈安とは、頂に穂を出す背の高い植物だ。野山に分け入れば簡単に見つけられ、その姿は薄に似ている。

「もしかして、ご兄弟みんな？」

「察しがええな。一番上が蘇芳（すおう）、わてが刈安。そんでこいつは鬱金（うこん）。妾腹（めかけばら）なんで、字は変えとるがな」

すべて、染め草の名だ。いつもの調子ならこのあたりで軽口を挟みそうなものを、右近は妾腹などと言われてもじっと黙っている。

まさか、本妻の子である兄に遠慮しているというのか。

「あんた、えらい濡れとるやないか。着替えてき。わて、お彩はんと話したいよってに」

自分でお茶を浴びせておいて、刈安のこの態度。文句も言わず立ち上がる右近に、お彩はなぜか苛立った。

どうしてそんなにも、従順なのか。いつもの憎たらしさは、どこへ行ってしまったのだ。

「ほな、お彩はん。無体を働かれそうになったら、おっきい声を出しとくれやす」

「阿呆か。いくらなんでも素人に手ぇ出すかいな」

シッシッと、刈安は犬を追い払うように手を振る。

右近は恭しく一礼してから、奥座敷を出て行った。

四

「ほんに、けったくそ悪い男やで」

刈安がぶつくさと悪態をつきながら、懐から取り出した煙管に刻みを詰める。女中が茶と共に運んできた煙草盆を引き寄せると、旨くもなさそうに吸い込んで火をつけた。

「な、お彩はんもそう思うやろ」と、煙を吐きながら尋ねてくる。

「けったくそ？」

「忌々しい、ゆうことや」

「はぁ」

右近はたしかに忌々しい相手に違いないが、刈安と意を通ずるのも嫌で曖昧に返事をする。

「妾腹のくせに、あいつはお父はんに取り入るのがうまいねや」

嫌な気分だ。右近は子供のころからこうやって、蔑まれてきたのだろう。そして今でも横柄な兄に、頭を押さえつけられている。

「ただそれだけの男や。財産目当てにつき合うとるんやったら、今のうちにやめとき」

「はぁっ？」

さっきの返答よりも、声に怒気が籠もる。耳朶が熱くなったのが自分でも分かった。

「男と女の仲ちゃうん？」

「違います。馬鹿にしないでください！」

下衆の勘繰りにもほどがある。お彩は首を激しく横に振った。

「おお、江戸の女子はんはやっぱり威勢がよろしなぁ」

人を怒らせておいて刈安ときたら、悪びれもせずに笑っている。こういう人を食ったところは、右近と少し似ているのかもしれない。だが右近は、人を貶(おとし)めるような言葉は使わない。

こんな人が、兄だなんて。店を放っておいて、妓楼に居続けするような男だ。面倒なことはすべて「妾腹」の弟に押しつけて、自分は遊び歩いている。

これでは苦労が絶えなかろう。お彩ははじめて右近に対して、同情のようなものを覚えた。

「まぁ堪忍やで。あんさんが情婦(イロ)なら、めでたいことやと思たんや」

「なにがめでたいものですか」

「だって、早(は)よ兄嫁を諦めてほしいやないか」

不用意に、喉が鳴る。今日はじめてお春に会ったお彩でさえ、右近の儚(はかな)い想いに気づいたのだ。子供のころから二人を知る兄が、悟らずにいるはずがない。

お彩の反応を見て、刈安はにんまりと笑った。

「知っとるか。刈安も鬱金も、黄色の染め草やねん」

どちらも絵の具の素でもあるから、知っている。色そのものの名前にもなっており、刈安色は緑がかった黄色、鬱金色は赤みがかった黄色を指す。

「あんさんは、どっちの色が好きや？」

どう答えるのが、正解なのか。主人におもねるなら刈安と答えるべきだろうが、そんなことはしたくない。それに、色に優劣などないとお彩は思う。

「そんなん聞かれても困るゆう顔やな。せやねん、比べられても困るねん」

なにも答えずに黙っていたら、刈安は勝手に話を先へ進めた。

「せやのに、周りはなにかと比べたがるわ。江戸店を任されることになってやっと離れられる思たのに、あいつ、江戸までついてきよった」

コン。煙草盆の縁を煙管の雁首（がんくび）で叩き、灰を落とす。話しているうちに苛立ちが募ってきたのか、刈安の立てた膝が小刻みに揺れている。

「ほんま、目障りでしゃあないわ。うちの嫁にもほれ、玉子色なんぞ着せとったやろ。玉子色の染めにはな、鬱金が使われとるんやわ。春は知らんのやろけどな」

恋しい人に、自分の名の由来となった色を纏わせる。鬱金色ではあからさますぎるから、玉子色。右近はそんな涙ぐましいことをする男だったのか。聞いているだけで、恥ずかしくなってくる。

「けったくそ悪いやろ。色に聡（さと）いらしいあんさんなら、どないする？」

「えっ」

「うちの嫁には黄みの入った色が似合うねや。塚田屋で働くつもりなら、ぴったりな色を選んでみせよし」

刈安のぎょろりとした目が、お彩に据えられる。これは、試されているのだ。返答が気に食わなければ、このまま追い返されかねない。

「ただし、刈安色と鬱金色以外やで。染めゆうんは面白いもんでな、この深緑は藍と刈安で染めるねや。せやけどこれより薄い浅緑は、藍と黄檗やねん」

そう言いながら刈安は、着ている着物の袖をちょっと引っ張って見せた。色を混ぜて別の色を作ってゆくのは、絵の具でも同じである。

「ちなみに蘇芳は、灰汁か明礬水か鉄漿のどれを加えるかで仕上がりの色が変わってくるわ。な、面白いやろ」

染物の難しいところは、そこだ。同じ染め液を用いても、色止めのために加えられる汁によって色の出かたが変わってしまう。色に聡いと持ち上げられたところで、お彩は染物についてはずぶの素人だった。

そんなお彩に刈安は、お春に似合う黄みのある色を選べと言う。黄色の染め草は刈安と鬱金の他に、黄檗、丁子、梔子、槐樹など、数多い。その中から決してあやまたず、自分の名である刈安を用いた色を選び出せというわけだ。

どうしよう、分からない。頭の中に黄みのある色はいくつも浮かんでいるのだが、どれが刈安染めなのか。色止めの按排までかかわってくるとなると、お手上げだ。

脇にじわりと、嫌な汗が滲み出るのが分かった。

べつに、塚田屋での仕事を失うのが怖いわけではない。右近に掻き口説かれて、渋々承諾しただけのこと。主人の不興を買って追い返されたところで、本来はなんの痛痒もないはずだ。

「どないしたん、だんまりか。ほれ、早よ色に聡いところを見せてみよし」

けれどもこんな、人を小馬鹿にした男に侮られたまま終わるのは悔しい。

刈安は、手を叩いてお彩を急かしてくる。口元には、人をなぶるような笑みが浮かんでいた。

嫌な男だ。右近よりもっとずっと、気に食わない。それ以上に、自分の不甲斐なさが腹立たしい。

気乗りしない流れだったとはいえ、呉服屋での色見立てを引き受けたのだ。なぜ染物について、少しは学んでこなかったのか。

刈安は、そんなお彩の怠慢を突いてきた。勉強不足でっせと、口元に貼りつけられた笑みが語りかけてくる。

悔しい。どうしても、「分かりません」と降参したくない。どこかに糸口はないかと、必死に記憶の底を引っかき回す。

「なんや、ずいぶん時がかかるなぁ。ほなわてが今から十数えるよって、その間に答えられへんかったら帰りよし。それっきり、さいならや」

答えられなければもう二度と、塚田屋の敷居を跨げない。人を困らせるのが好きなのか、刈安はいやに楽しそうだ。

「ほれ、いくで。いーち、にーい」

声に抑揚をつけ、右手の指を折って数え上げてゆく。

「さーん、しーい」

数が大きくなるにつれ、お彩の焦りが募ってゆく。こんなとき頭の中でめくりはじめてしまうのは、やはり今までに見た錦絵だ。

「ごーお、ろーく」

ついに左手の指も加わった。思い出せ、思い出せ。昔の錦絵を見せながら、父の辰五郎がなにか言っていなかったか。

「しーち、はーち」

もう、時がない。当てずっぽうに答えてしまおうか。万が一当たっていたなら、御(おん)の字だ。

「きゅーう」

お彩を追い詰め、刈安の目がぎらりと光る。そのとたん、頭の中にぱっと一枚の役者絵が浮かんだ。

刈安の唇が、「と」の形に窄まる。そこから音が出る前に、お彩は叫んだ。

「芝翫茶！」

焦ったせいで、思いのほか声が大きくなった。

虚を突かれ、刈安が大きな目を瞬く。顔の高さに持ち上げていた両手を下ろし、夢から覚めたように呟いた。

「歌右衛門かいな」

三代目、中村歌右衛門。上方を代表する花形役者で、芝翫は歌右衛門の俳名である。すなわち芝翫茶とは、芝翫好みの茶。黄みのある鈍い赤をいう。

立役、道外方、若衆方、女方となんでもござれ。文化文政のころには三度江戸に下り、舞台に立った。その際に歌右衛門は、「上方に帰したくない」と江戸っ子に請われるほどの大評判を取っている。

お彩が思い浮かべたのは、そんな歌右衛門の役者絵だった。初代歌川豊国による、『双蝶々曲輪日記はなれ駒長吉』である。素人力士、放駒長吉を演じたところが描かれた一枚だ。

抜き放たれた長刀を前にして、居直るように座る歌右衛門。彼の身に着けている着物が、芝翫茶である。

「芝翫茶の布は、刈安と棗の実、それから灰汁を色止めにして染めるそうだ」

その絵を前にして、辰五郎が教えてくれたことがある。同じ色を絵の具で出そうとして、試行錯誤したことも。

危ういところで、思い出せた。この答えは、刈安のお気に召すだろうか。

「いくらなんでも、渋いやろ」

上方には同じく二代目嵐吉三郎という役者がおり、歌右衛門とは長らく人気を二分してきた。こちらはたいそうな美貌、美声であったのに対し、歌右衛門は短軀で容姿に優れたところはない。そのぶん通好みであり、芝翫茶もあまり女性の着物には用いられていなかった。

だが豊国が描いた歌右衛門は、どことなく刈安に似ている。特にその、ぎょろりとした目だ。刈安の目がもう少しでも小さければ、お彩は件の絵を思い出せなかっただろう。

刈安は傍らの湯呑に手を伸ばし、中が空なのに気づいて再び置いた。手持ち無沙汰になったようで、指でトントンと膝を叩きだす。

きっと、どうしたものかと考えている。黄みがかった色といっても、お春にはもっと明るい色のほうが似合う。芝翫茶という答えは、なかなか際どいところだろう。

お彩は息を詰め、刈安が言葉を紡ぎだすのを待った。

五

疲れた。まるで一日中針仕事をしていたみたいに、目の奥が重く痛む。体は少しも動かしていないのに、心がすり減っている。

「ああ、お彩はん。無事どしたか」

奥座敷から店に戻ろうとして、途中の板の間で右近と顔を合わせた。悲鳴の一つでも聞こえたら、すぐに駆けつけられるよう待っていてくれたのだ。

濡れた着物を着替えたはずが、またもや京紫の縮緬である。もしや、同じ着物を何枚も持っているのだろうか。

「さっき『芝翫茶』と叫ぶ声がしましたけども、いったいなんの話をしてはったんどす」

あの声は、板の間にまで響いたようだ。ならば下働きの者にも聞こえたに違いない。決まりが悪くて、お彩は土間に揃えられた下駄にさっと足を通す。

「べつに、たいした話ではありませんでした」

刈安に試されたことは、右近には言えない。経緯をたどればお春への想いにも触れることになる。すでに人妻となった幼馴染への恋心など、暴かれて楽しいものではなかろう。

「そうどすか。それで、うちの旦那はんは？」

「眠いから寝る、とのことです」

部屋を出て行こうとするお彩を、刈安はごろりと横になって見送った。あのまま寝るつもりなのだろうか。女中に布団の用意を頼んでやったほうがいいのだろうが、あんな男のために親切を働く気にはなれない。

「ほんに、あのお人は」

右近が背後で溜め息をつく。刈安には、振り回されてばかりなのだろう。妻のお春だって、苦労をかけられどおしに違いない。

それでも刈安がこの店の主人だ。「あんさんはもう来んでよろし」というひと言で、右近の下準備も虚しく、お彩は出入り不可となる。

そんな理不尽があっていいものか。刈安に勝手をさせないためにも、お彩は彼に勝つ必要があった。

「まぁ、よろしやろ」

頬杖までついて考えた挙句、刈安はそう言って欠伸を嚙み殺したものである。

「歌右衛門はわてでも好きな役者や。大目に見たろ」

人を見下しきった顔だった。いいや、もしかしたら、同じ人と思われていないのかもしれない。

刈安はお彩に向かって、もう下がれとばかりに手を振った。

「しかしあんさん、前評判ほどたいしたことあらへんかったな」

最後にかけられた言葉を思い出すだに、腹が煮える。刈安の横柄な態度も、そんなことを言わせてしまった自らの怠慢も、とにかくやるせないったらない。

歯を嚙み締めすぎたのか、ギリギリと音が鳴る。お彩は店へと続く暖簾の前で足を止めた。

「大丈夫でっか」と、気遣う右近に向き直る。

なんにせよ、今の自分にできることは一つきりだ。

「右近さん。私に、染物のことを教えてください」

「なんどす。いきなりやる気どすな」

「だってここは、呉服屋でしょう。紙に出る色と、布に出る色は違います」

「それはそうどすけども」

怒りの余韻が残る眼差しで、長身の右近を睨みつける。もう二度と、己の努力不足のせいで悔しい思いをしたくない。

覚悟のほどが伝わったのか、右近が軽く肩をすくめた。

「ほな、染屋に話を通しときまひょ。職人から話を聞いたほうが早いですよって」

「よろしくお願いします」

それはありがたい。実際に、染めているところも見たいものだ。白い絹糸が色とりどりの色に染まってゆく。その様はきっと、美しいのだろう。

色鮮やかな想像に、胸が高鳴る。そのお蔭か、怒りが徐々に薄らいできた。学ぶことが務めではなく、楽しみに変わりつつある。

「あんまり、無理はしはらへんように」

それなのに右近ときたら、せっかくの昂(たかぶ)りに水を差すようなことを言う。

「兄からなにを言われたか知りまへんけど、あんまり気にせんでもよろしおすえ」

お彩は眉間に皺を寄せた。熾火(おきび)に風を送るように、薄らいでいたはずの怒りが火を噴いた。

右近がそうやって兄の誹謗(ひぼう)を聞き流すから、刈安だってつけ上がる。喧嘩になってもいいから、兄弟でとことん話し合うべきではないか。巻き込まれる側の身にもなってほしい。

「私はともかく、右近さんは気にしたほうがいいのでは」

つい、棘(とげ)のある言いかたになった。この人が、好きでもない次兄について江戸まで来たのはなんのためか。そんなにも、お春の傍にいたかったというのだろうか。

「こう言ってはなんですが、お兄さんは仕事もせずにふんぞり返っているだけじゃありませんか」

店のためにも、このままでいいはずがない。なぜ誰も、刈安を更生させようとしないのか。お春だって、怒りも嘆きもせず、居続けの金を用意しに行った。

上方の人は江戸っ子ほど血の気が多くないのかもしれない。でもやはりおかしいのではないか。

「それでなにか、不都合なことでもありまっか」

右近が不思議そうに、首を傾げる。この期に及んで、まだそんなことを言っている。

お彩がなにか言い返す前に、右近はこう続けた。

「あの人に出しゃばられても、なんもええことはおへん。商才はありまへんし、威張るだけで人を使うのも上手うない。商いなんぞ忘れて遊び歩いててもろたほうが、よっぽど助かるんどす」

暖簾越しに、いらっしゃいませという手代の声が聞こえる。客が増えてきたようで、人の話し声が雑多に混ざり合い、賑わしい気配が伝わってくる。

この繁盛を作り上げているのは、他の誰でもない、右近だ。

「じゃあどうして、あの人が店を任されているんですか」

「さぁ、知りまへん。そう決めはったのは、お父はんどすから」

だから兄に従っているまで。と、言いたいのだろうか。

右近はいつもどおり、にこにこと笑っている。胡散臭いくらいの、愛想のよさだ。

兄は弟を、蔑んでいる。だが弟は、兄を眼中に入れていない。

だからこそ「妾腹」と言われても、平然としていられるのか。

兄弟の溝は、お彩が考えていたよりずっと深い。話し合いなど、成立するはずがなかった。

「せやから、兄の言うことなんか気にせんでもよろしおす」

右近の微笑みからは、屈託を読み取ることができない。

これが、塚田屋の内情か。奉公人たちも、働きづらいのではないか。

自分は本当に、やっかいな家に巻き込まれてしまったのかもしれない。

「ほなお彩はん、さっそく明日からお願いしますわ」

「えっ、明日？」

「へぇ。お得意はんから、すでに依頼が入ってますよって」

仕事の流れが早くて、頭がついてゆかない。膨らむ不安を抱えたまま、お彩は「はぁ」と頷いた。

ゆかりの色

一

ゆうらり、ゆらり。

紫色の水の中を、上等の絹糸が泳いでいる。

ゆうらり、ゆらり。

ほどよいところで竹の棒に通したかせ糸を、気難しい顔をした職人が手繰ってゆく。そうしてまだ、染め液に浸かっていないところを染めてゆく。

浅草元鳥越町にある、染物屋。藍染の家を紺屋と呼ぶように、紫根染めを専らとするところは紫屋と称する。一段高くなった板間に染壺が埋め込まれ、そこに跨るようにして職人が糸を繰っている。

「ご存知のとおり、紫根は紫草の根っこどす。その皮に含まれとる色を、石臼で搗いてひたすら揉んで、取り出しますねや」

傍らに立つ右近の解説に耳だけ傾け、お彩は染壺の中に目を凝らす。涼しげなほど白かった糸に、どんどん色が入ってゆく。

九月に入り朝晩の風はひやりとしてきたが、染壺の下では火が焚かれており、部屋の中は暑いくらいだ。黙々と手を動かしていた職人が、唐突に声を張り上げる。

「馬鹿野郎、火が強すぎだ。紫が死んじまうだろうが！」

怒鳴られた弟子はひしゃげた鼻の形が職人とよく似ており、おそらく息子なのだろう。親子ゆえの甘えはなく、びくりと身を震わせる。

紫根は扱いの難しい染料らしい。染めている間は火を焚いて染め液を常に温めていなければならないが、温度が上がりすぎると黒く変色してしまう。

生薬にも用いられる紫根は値が張るから、声が尖るのも無理はない。ただの火の番では済まされぬ、大事な加減があるようだ。

額にうっすらと汗を浮かべた職人の眼差しに、摺師だったころの父辰五郎の面影が重なった。同じ作業の繰り返しであれ、都度都度が真剣勝負だ。なにげなく糸を揺らしているように見えても、染めムラがないよう気を配っているのだろう。

四半刻（三十分）ほども染め液の中で糸を泳がせてから、水船に移して余分な染料を洗い流す。まだ色は薄いが、案外赤みの強い紫だ。その糸を軽く絞ってから、盥に満たされた透明な液に浸してゆく。

「あれは灰汁どす。灰に熱い湯を注いで二、三日置いといた、その上澄みですわ。紫根染めの場合は特に、椿の生木を燃やした灰を使います」

「わぁ！」

思わず歓声を上げてしまったのは、灰汁に浸けたとたんに糸の色が変わったからだ。

赤みの強い紫から、青みの紫へ。なんとも鮮やかな色の変化である。

「面白いですやろ。この作業を繰り返して、思い通りの濃さになるまで染めますねや。深紫なら、四、五日はかかりますな」

「そんなに――」

感心のあまり、ため息が洩れてしまう。染料として使われる紫根だって、そうとうな量になるだろう。紫の糸や布が高価なわけである。

「紫根そのものの色は、さっきの赤みがかった紫どす。青みの色に仕上げたければ灰汁に浸けて作業を終わらせたらええし、赤みにしたければ染め液で終わらせたらええ。さらに赤みを強くしたいなら、染め液に少しだけ酢を入れますねや」

同じ紫染めでも、ただそれだけのことで色が変わる。錦絵の絵の具の色とは理（ことわり）が違い、なかなかに興味深い。

「塚田屋（つかだや）では反物の多くを京の本店から取り寄せてますけども、江戸紫（えどむらさき）はやっぱり江戸っ子の心意気。江戸の紫屋はんにお任せするんがええと思て、こちらにお願いしとります」

江戸紫は、たとえば助六の鉢巻きの色。粋な江戸っ子の憧れだ。紫を染める職人は特別に、「紫師」とも呼ばれている。

その江戸でも指折りという紫師が、「ちょっ」と聞えよがしに舌を打つ。盥に顔を向けたまま、横目にちらりと右近を睨んだ。

「なぁにが、江戸っ子の心意気だ。京紫なんぞちゃらちゃらと着てる奴に言われたかねぇな」

右近は今日も赤みのある京紫の小袖に、黒の羽織を合わせている。京の紫に負けぬ色をと、生み出されたのが青みの江戸紫だけに、江戸の紫屋としては面白くないのだろう。

「な、そう思うだろ、娘さん」

話の矛先を向けられて、盥の中に意識を注いでいたお彩は目をぱちくりさせる。右近の装いのことなど、今はどうだっていいのだが。

「粘っこい上方訛り(なま)は我慢するとして、せめて着物を改めやがれと追い返しても、性懲りもなく京紫を着てきやがる。まったく、どういった料簡(りょうけん)だか」

「それはもう、しょうがないことですわ。わて、京紫が一番似合いますねや」

「その言い訳はもう、聞き飽きた」

「いやいや、ほんまに。前にお彩はんに勧められて江戸茶を着てみたら、まぁ顔映りの悪いこと悪いこと」

まさか一年近くも前のことを、まだ根に持っているのか。

あれは右近とはじめて出会ったときのこと。突然絡(から)んできた怪しげな京男を撒(ま)くためだけに、お勧めの色を聞かれて「江戸茶」と答えた。その後右近は一度だけ、江戸茶の唐桟を身に着けていたことがある。今思えばあれは、笑えるほど似合っていなかった。

「やっぱりわてみたいになよなよした上方もんには、きりりとした江戸の粋色は合いまへんのやなぁ」

「はん、よく言うぜ。腹の中ではどうせ、江戸紫より京紫のほうが上と思ってんだろ」

「まさかまさか。もっと自信を持っとくれやす。徳川の御代になってから、江戸のお人らが懸命に作り上げた紫やおへんか」

「それはてめぇ、歴史が浅いって言いてぇんだな」

「おや、そんなふうに聞こえましたやろか？」

「ああ、嫌だ嫌だ。これだから上方者ってのぁ」

口を挟む隙もないほどの応酬である。職人は、案外この掛け合いを楽しんでもいるらしい。歪められた唇の端が、微かに持ち上がっている。

ならばべつに、捨て置いてもよかろう。お彩は再び、盥の中に視線を戻す。

実のところ、色に上下があるなどとは思っていない。だが、色から与えられる印象というのはある。たとえば赤なら血や炎、温かさ。青なら空や水、涼しさといった具合に。

紫の場合は、艶やか、高貴。ゆえに古くは高位の者しか纏えない禁色であった。紫根が貴重なのはもちろんのこと、紫という色の魅力のなせる業だ。京の紫がいいとか、いや江戸だとか、終わりの見えない議論もまた、楽しみの一つに違いない。

「それにしても娘さん、アンタよく厭きねぇな」

「えっ？」

思いがけぬことを言われた。きょとんとするお彩の様子に、職人のほうが驚いたようである。

「染め液の中で四半刻、灰汁の中でも四半刻、ひたすら糸を手繰り続けるだけだぜ。とにかく地味だ。見学したいって奴が来ても、たいていは途中で欠伸を嚙み殺していやがる」

「まさか。こんなに面白いのに？」

信じられない、とお彩は小声でつけ足した。

灰汁に浸けるとたちまち青みを増してゆく糸。これを再び染め液に戻せば、今度はどんな色になるのだろう。楽しみに胸が躍りこそすれ、厭きるなど考えられない。

「なるほど、京紫が連れてくるだけあって、変わってやがる」

右近はここでは、京紫と呼ばれているのか。同類にはされたくないという不満が頭をもたげてくる。

「私は普通です」

「おや、そうかい」

職人は、お彩の言葉をまともに取り合わない。むっとして眉を寄せると、右近が「まぁまぁ」と割り込んできた。

「ほなお彩はん、わてらはそろそろお暇しまひょ。あんまり長居したら、お昼を食べる暇がのうなってしまいますよって」

「えっ、もう？」

せっかく来たのに。できれば染め液に戻された糸が、次はどんな色合いになるのかを見届けたい。先程とは違う種類の不満に、お彩は顔全体をしかめた。

「分かりました。ほな、あと四半刻」

やれやれとばかりに、右近が肩をすくめる。

職人が口元をもぞもぞさせて、笑いを嚙み殺しているのが分かった。

「ああ本当に、楽しかった」

我知らず、うっとりと吐息を洩らす。目を閉じれば紫を深くしてゆく絹糸の様子が、瞼の裏に浮かぶようだ。

右近に促されるままに、紫屋を後にしなくてよかった。おかげで面白いものを見ることができた。

職人が糸を染め液に戻し、手繰ってゆくうちに、その染め液がだんだん水のように透明になっていったのである。

紫根を揉み込んで取り出した色に、湯を加えたものが染め液となる。つまり湯に溶けていた色が、糸に吸われていったのだ。まるで手妻のようではないかと、お彩は目を見張るばかりであった。

あの糸はもう一度灰汁の中に泳がせて、今日のところは乾かして終わりとなるらしい。明日もまた、同じ手順を繰り返す。明後日もきっと。鮮やかな江戸紫に染まりきるまで。

「あれなら、毎日でも見に行きたいくらいです」

「それはさすがに、紫屋はんのほうで堪忍と言わはりますやろなぁ」

右近が高脚膳に箸を置き、苦笑いを返す。首を伸ばし、少しも減っていないお彩の茶碗を覗き込んでくる。

「そんなことよりも、早よ食べてしまいなはれ。お得意はんが待ってはりますえ」

それはいけない。お彩は慌てて左手に持ったままだった茶碗に口をつけ、茶漬けを啜る。具の梅干しの酸味が番茶に溶け、するすると喉を通ってゆく。

本石町二丁目、塚田屋の奥座敷である。お彩が「もうちょっと、あとちょっと」と粘るものだから飯屋に寄っている暇がなくなり、それでも腹になにか入れておかねばと、右近が女中に用意を言いつけた。

ひと口啜ってみて気づく。思いのほか、腹が減っていた。右近が気を回してくれなければ、客の前で腹を鳴らしていたことだろう。どうも自分は一つのことに夢中になると、他を疎かにしてしまうところがある。

「でもまぁそんなに喜んでくれはるんやったら、他にもいろいろ見に行きまひょか」

「いいんですか」

「ええもなにも、お彩はんが言いだしたことやないの」

たしかに染物について学びたいと、言いだしたのはお彩だった。

先月から色指南役として塚田屋の商いに関わるようになり、幾人かの得意客の着物を見立ててきた。しかしお彩の見立ては直感に頼りすぎており、同じく直感に優れた若い娘ならいいのだが、年輩の、特に男の人を納得させるのは難しい。

塚田屋の得意となるほどだから、皆それなりに地位と財のある者ばかり。肩書きもろくにない女の言うことなど、聞くに値しないと思っている。どれだけ顔映りのいい反物を肩に掛けてやっても、傍に控えている右近に意見を求める。

もっともっと、知識がほしい。色について、染物について学びたい。渋々はじめたはずの指南役なのに、その願いは日に日に大きくなっていた。

「灰汁に浸けたり酢を混ぜたりして、紫の色みを変えられるなんて本当に面白い。絵の具だと紫は、細工紅と青花紙を混ぜたものと決まっているんです」

わずかばかりの知識を手にして、気が昂っている。口数が多くなっている自覚はあるが、止められない。空になった茶碗を置いて、お彩は身を乗り出した。

「青花紙？」

「紙に幾重にも露草の汁を塗り重ねたものです。水に溶いて使います」

そして細工紅は、浮粉を混ぜた絵の具用の紅である。赤と青を混ぜれば、すなわち紫になるというわけだ。

「それは、染めで言えば二藍（ふたあい）どすな。こっちは藍に紅を掛け合わせて染めるんですわ」

「あ、そうか。だから二藍」

辰五郎から聞いたことがある。染めの技と材料は、当時呉と呼ばれていた唐（から）から多くもたらされた。紅花もそのうちの一つで、呉からやってきた藍、つまり「くれのあい」が訛って「くれない」になったという。その当時藍とは、染料の総称でもあった。ゆえに蓼藍（たであい）と呉藍（くれのあい）を掛け合わせた色は、二藍と名づけられたのだろう。

「せやけど気をつけなあきまへん。二藍は必ず藍を先に染めるんどす。紅が先やと、藍甕の中で色が溶け出してしまうんですわ」

それはまた、奇妙なこともあるものだ。糸や布に色を入れ、しかも落ちぬようにするのは難しい。そのために、様々な工夫が凝らされている。

「他に紫根を使わへん紫ゆうたら、似紫（にせむらさき）どすな。これは藍で下染めをして、蘇芳（すおう）を重ねますねや」

こちらは庶民にもお馴染みだ。高価な紫根染めには手が出ないが、それでも紫への憧れ止みがたく作り出された色である。本紫に似せた色だから、偽紫ではなく似紫と書く。

「これでだいたい、紫については分かりましたやろ。よう覚えといておくれやす」

「ええ、それはもちろん」

頷くと同時に、障子の向こう側から衣擦れの音がした。何者かがそこに座る気配があり、「失礼します」と声がかかる。

「寿々屋のご隠居はんがお見えどす」

障子がすらりと滑らかに開き、顔を見せたのは塚田屋のお内儀、お春である。光琳菊が描かれた、黄朽葉色の友禅がよく似合っている。

「おや、来はったんどすか。こっちから伺お思てましたのに」

もしやお彩がぐずぐずしていたせいで、痺れを切らして来てしまったか。それはいけない。慌てて立ち上がろうとして、膝がお膳にぶつかった。

「すみません、すぐに」

派手な物音を立てながら、着物の裾の乱れを直す。お得意様をあまり待たせるわけにはいかない。

「お彩はん、まぁ待ちなはれ」

お春は落ち着いたものである。もう一度お座りなさいと、ゆうらりと手を上下に動かした。

「ご隠居はんにはお茶をお出ししてますよって、急がんでもよろし。それよりも、紅が剝げてますえ」

塚田屋で色見立ての仕事があるときは、いつもこの奥座敷で着替えをしてお春に化粧を手伝ってもらう。今朝も紫屋に向かう前に、見苦しくないよう身支度を整えた。だがすでに昼を過ぎ、飯も食べた。口紅が剝げていても、なんの不思議もない。

「でも――」

「ええから、ええから」

お春が部屋に入ってきて、問答無用でお彩を鏡台の前に座らせる。女中がその後に続き、二人分のお膳を下げて行った。

この店の主人である刈安がいる気配は、今日もない。どうせ悪所通いに違いないから、「旦那様はどちらへ？」とお春に聞くのも酷な話だ。商才のない兄など店におらず遊び歩いているほうが助かると右近は言うが、お春が悲しむとは思わないのだろうか。

いつもおっとりと微笑んでいるお春は、知り合って間もないお彩に胸の内を見せはしない。だからこそよけいに、気が揉めた。本当のところは商いもせず家にも居着かない良人に、どんな感情を抱いているのだろう。

兄嫁に、横恋慕をしているくせに。

そのあたりを配慮しないとは、どうも右近らしくない。いっそのこと、愛想など尽きてしまえと考えているかのような――。

ひやり。湿り気を帯びた筆が唇の上を滑ってゆく。このくらいは自分でもできるのに、お春が紅猪口(べにちょく)を手に正面に座っていた。

「お彩はんは色がお好きやのに、自分の顔に載せる色には頓着しまへんなぁ」

くすくすと、微かに頬にかかる息が甘い。小ぶりに描かれたお春の唇が、小鳥のようにちゅっと尖る。

「せや、紅板(べにいた)を一つ差し上げまひょ。それならどこでも塗り直せますわ」

「いえいえ、そんな。とんでもない」

紅を塗られている途中なのも忘れ、お彩は首を左右に振った。

紅板は紅を塗った二つ折りの板で、懐に入れて持ち歩くことができる。お春所有の物となれば、またもや蒔絵や螺鈿(らでん)といった、凝った細工が施されているに違いない。そんな身の丈に合わぬものは、とても受け取れない。

「せやけど、出先で紅が剝げてしもたらどないしやはります」

「ならばもう、そのままでいいです」

少しくらい紅が剝げていたところで、お彩の顔を気にする者などいやしない。それなのに、お春は不満そうにいっそう唇を尖らせる。

「わてに、ええ案がおますえ」

狐のような笑みを浮かべ、右近が話に割り込んできた。

「紅の前に、藍を下塗りしとけばええんやわ」

二藍を染めるには紅の色が落ちないよう、藍を先に染めるとさっき聞いたばかり。化粧にも応用できるのかと感心しかけたが、お春が「なにを言うてはりますの」と一蹴した。

危うく右近に、担がれるところだった。

二

塚田屋の広い店の間の一画で、その客は出された茶を啜っていた。

隠居というわりに脂気の抜けていない、恰幅のいい男である。髷はさすがに細っているが、わりあい黒々として見える。

右近に耳打ちされたところによると、寿々屋は蔵前に店を構える札差(ふださし)らしい。旗本や御家人相手の商いだから、町人の娘であるお彩にはあまり馴染みがない。身に纏う結城(ゆうき)紬(つむぎ)の小袖と揃いの羽織は仕立てがよく、いかにも裕福そうである。

「ああ、右近さん」

そのご隠居が奥から出てきた右近に気づくなり、ずずいと膝を進めてくる。過ごしやすい季節なのに、額にびっしりと汗をかいていた。

「すみません、お待たせしてしもうて。どないしやはったんどす。しかも、お一人で」

「どうしたもこうしたもありませんよ。ゆかりがすっかり、臍（へそ）を曲げちまいましてね」

ご隠居はすでに連れ合いとは死に別れ、気楽な身の上なのをいいことに、別宅に入り浸っているという。共に暮らしているのは町芸者で、その名がゆかりというのだろう。

「おやおや、なにがあったかお聞きしまひょ」

膝を折って座った右近の背後に、お彩も控える。染めについて学ぶのは面白いが、客と相対すると身が強張る。塚田屋に雇われる前は色について意見を求められても好き勝手なことを言えたのに、近ごろはなぜか口が重い。

特にこのご隠居のような、年輩の男には苦手が募る。今もお彩の姿など見えぬかのように、右近だけに向かって喋っている。

「ご存知のとおりゆかりは、紫色がよく似合うでしょう。この度の着物も当然、紫でと考えていたのですが」

「ええ、こっちもそのつもりでおました」

「それが今日になって、紫なんぞもうたくさんだと言いだしたんです」

本日の依頼はその芸者、ゆかりの着物の見立てである。紫にこだわりのある相手と知っていたから、右近は朝からお彩を紫屋へ連れて行ったのだろう。「よう覚えといておくれやす」と言われたわけが、やっと分かった。

「せやけどゆかりはんは、紫の着物を着てるんが売りでもあらはるでしょう」

「ああ、まぁね。けっきょくのところ、私が悪いんだけどさ」

ご隠居が、帯に差していた扇子(せんす)を広げて顔を煽(あお)ぐ。その先は、決まりが悪そうに声を潜めた。

「ゆかりはああ見えて、鰯が大好物でね。今朝も鰯の梅煮をぱくりぱくりと食べていたんだ。あんまり美味しそうに食べるもんだから可愛くて、『おむら、おむら』と呼んでからかったんだが。しつこくしすぎちまったようで、怒らしてしまってさ。もう嫌だ、紫なんぞ着るもんかと、こういうわけだよ」

鰯から、なぜ着物に話が飛ぶのだか。意味の取れない言葉もあり、お彩は「おむら？」と首を傾げた。

「鰯のことどす。元は宮中の女房言葉で『むらさき』、縮めて『おむら』いいます。鮎より勝る、とゆう言葉遊びどすな。鮎と藍をかけとります」

なるほどそれで、藍より勝るから紫。だが鰯といえば、魚油や干鰯(ほしか)にも使われる下魚である。一方の鮎は、上等な魚とされている。

「上方では、鰯が珍重されているんですか？」

「いいえ、上方でも昔っから鰯は下魚どす。身分のある者が食べるんは卑(いや)しいこととされとったんで、逆にそう言われるようになったんと違いますか」

下魚の鰯だって、食べれば美味しいし体にもいい。やんごとなき身分でも、好きな者はいただろう。だから後ろめたさをごまかすために、藍(アユ)より上の紫と言いはじめた。なるほど、その説明はしっくりとくる。

「右近さん、こちらは？」

まるで今はじめて気づいたかのように、ご隠居がお彩をそろりと窺(うかが)う。急に話に入ってきた女を、不審がっているようだ。

「色見立て役の、お彩はんどす」

「へぇ、こんなお若い人だったんですか」

ああ、侮られた。

ご隠居の視線が、ちくりと胸を刺す。お彩をさっと値踏みして、頼るに値しない小娘と踏んだらしい。その目はもう、右近のことしか見ていない。鼻先をさらに近づけて、訴えを続けている。

「そもそもゆかりという名も、漢字で書けば紫、鰯が好きなところからきているんです。『どうせ意味は同じなんだから、おむらに名を改めちゃどうだい』なんて、ふざけちまったのがいけなかった」

お彩は膝の上で手を握る。唇を嚙みしめそうになって、紅を塗り直してもらったばかりだと思い直した。

「お願いします。どうかゆかりを宥めて、紫の着物を作るよう促してくれませんか」

「どうしても、紫を着せたいんどすな」

「そりゃあそうです。ゆかりといえば紫ですから」

ようするに、ただの痴話喧嘩。しかも話を聞いたかぎりでは、悪いのはご隠居だ。二人の間でどうにか、収められはしないものか。

だがこちらも京紫といえばの右近である。ご隠居のこだわりには通ずるものがあるようで、「分かりました」と頷いた。

「ほな、今から行きまひょ。お彩はん、紫系の生地見本を持ってきとくれやす」

もともと訪問するはずだった、ご隠居の別宅へと向かうようだ。お彩は「はい」と返事をして立ち上がる。

二十半ばの女を「色見立て役」と紹介されたところで、信用できないのも無理はない。ならばご隠居が、「意外に使える」と見直すほどの働きをしなければ。

軽くあしらわれたからといって、落ち込んでいる場合ではない。お彩は気を引き締めて、手代から渡された生地見本帳を胸に抱いた。

ご隠居に先導されて向かった先は、日本橋人形町通り。中村座と市村座の芝居小屋があり、元吉原の名残の花街とて、華やかな中にもねっとりとした色香の漂う界隈である。

別宅は長谷川町にあり、小さいながらも庭を備えた一軒家だった。

桔梗、藤袴、紫苑、竜胆。庭には紫の花を咲かせる秋草が植えられて、吹く風にそよりそよりと揺れている。その風景を開け放した窓越しに背負い、一人の女が眼差しを尖らせた。

「だから、嫌だって言ってんだろ。アタシはもう、紫の着物は作らないよ」

そう言いながらも身に纏っているのは、麻の葉模様が裾に配された葡萄色の着物だ。熟した山葡萄のような、赤みの強い紫である。

この人が、ゆかりさんか。お彩は納得し、胸の内で頷く。色が白く、すらりと長い首を持ち、目元涼しげなゆかりにはたしかに、紫がよく映える。

「紫以外の着物を作ってくれるなら、考えないでもないけどさ」

「まぁそう言うなよ。こうして右近さんが来てくださってるんだ。そろそろ曲げた臍をまっすぐに——」

「そうやって、人を丸め込もうとするのはおよし！」

見た感じ、ゆかりは三十手前といったところか。歳の離れた女にぴしゃりとやられ、ご隠居は目を白黒させている。よほど惚れているようだし、その自信があるからゆかりも勝気に振舞えるのだろう。

「だいたいなんだい、この京男は。こいつも紫ばかり着やがって、まるで揃いのようじゃないか」

不機嫌は、正面に控える右近にまで飛び火する。ご隠居がにゅっと首を伸ばし、口元に手を当てて囁きかける。

「あのぅ、すみませんが、紫を着るのをやめていただいても？」

「そういう問題じゃなかろうさ！」

札差としていくつもの修羅場を潜り抜けてきたろうに、ゆかりにかかればご隠居も形無しだ。そんな二人を前にして、右近は口も挟まずににこにこと笑っている。

「許しておくれよ。もう『おむら』なんて呼ばないから」

「ああ、本当にやめとくれ。そう呼ばれるたびに、師匠を思い出すのさ」

「あの人も、悪気はなかったと思うけどねぇ」

「それでも言われるほうは嫌なのさ」

師匠というのは、音曲のだろうか。お彩は壁際に立てかけられた袋を見遣る。棹のあたりがきゅっと紐で縛られており、中身はおそらく三味線だ。ここに来る道すがら、ご隠居からゆかりは三味線の名人なのだという自慢を聞かされていた。

「アタシの芸名を『ゆかり』と決めたのも、師匠でねぇ」

まだ文句を言い足りないのか、ゆかりは右近に向き直って愚痴を零す。

「三年前におっ死んじまったけど、三度の飯より人を馬鹿にするのが好きな女だったよ。まったく、鰯が好きだからってなにが悪いのさ。好物くらい、気兼ねなく食べたいじゃないか」

額に筋を立てて怒っているゆかりには申し訳ないが、死んだ師匠やご隠居に悪気がないというのは分かる気がした。鯛や鱚を好みそうな上品な面立ちをしているくせに、下魚の鰯が好きというのは、妙な愛嬌がある。ご隠居も言っていたが、可愛くてついからかいたくなってしまうのだろう。

だが、ものには限度がある。笑って許してやれる範囲は、とうに超えているというわけだ。

「でもお前さん。今までは、機嫌よく紫の着物を着てくれていたじゃないか」

ご隠居が機嫌を取り結ぶように、節くれ立った手でゆかりの肩を撫でる。ゆかりはその手を、にべもなく払いのけた。

「ああ、アタシだって紫は好きさ。アタシに似合うのも分かってる。でもさ、これを見ておくれよ」

そう言ってさっと立ち上がり、桐の箪笥に取りすがる。細工の凝った取っ手を引いて、溢れ出てきたのは明るさや色みの違う、ありとあらゆる紫だ。

「この人が旦那になってから、仕立てるものがすべて紫になっちまった。襦袢までそうなんだよ、ほら」

右近の目も気にせずに、ゆかりは肌着である襦袢を引っ張り出す。匂い立つような淡さの、藤袴色である。お彩は思わず、庭に揺れている花とその色みを見比べた。

他にも江戸紫はもちろん、桔梗色、紫苑色、楝色、菖蒲色、藤紫、紫鈍、滅紫、浅紫――。ありとあらゆる紫が、抽斗に収められている。

右近の陰に隠れるようにしていたお彩は、鮮やかな色に吸い寄せられて、じりじりと膝を前に進める。絞りがあり、縮緬があり、友禅があり、ご隠居はどうやらゆかりの装束に、たんまりと金を注ぎ込んでいるらしい。

「いくら好物の鰯でも、そればっかりじゃ飽きるってもんさ。だからね、アンタ」

知らず知らずのうちに、前に出すぎていたらしい。ゆかりにはっしと手を取られ、お彩は飛び上がりそうになった。

「アンタだろ、塚田屋の色見立て役ってのは。名前は？」

別宅に着くなりゆかりがぷりぷりと怒っていたものだから、紹介もまだだった。

「彩、と申します」

「そう、お彩さん。粋筋から噂は聞いていたんだよ。花里花魁の仕掛が素晴らしかったってね。どうかアタシにも、紫以外で似合う色を見つけておくれでないかい」

ゆかりの手の滑らかさに、同じ女とはいえ胸がざわつく。ご隠居が骨抜きにされてしまうわけだ。間近に迫る潤んだ瞳から、どうしても目が逸らせない。

「お任せください」と頷きかけて、はたと気づく。塚田屋を出るとき右近に紫系の生地見本帳を持ってくるようにと言われ、馬鹿正直に従った。他の色を勧めようにも、今は手元に見本がない。

それでもお彩はゆかりの顔と白粉を塗っていない手の色を見比べて、考えを巡らせる。やがて直感に従って、一つの色が浮かび上がってきた。

「ゆかりさんには、銀鼠（ぎんねず）も似合うと思います」

「それって、どういう色だい？」

鼠系の色はとにかく、数が多い。仕事で色に携わっていないかぎり、ぱっと思い浮かばなくても無理はなかった。そのために、生地見本帳がある。

「青みのある、明るい鼠色です」

「ふぅん」

駄目だ、まったく通じていない。見本帳がなければ、話にならない。

それ見たことかとばかりに、ご隠居が鼻を鳴らした。

「どうだゆかり、気が済んだかい。お前さんにはやっぱり、紫が一番似合うんだから」

その後に、続く言葉はなんなのか。「だからそんな小娘に頼ったってしょうがない」と、声にならぬ呟きが聞こえた気がする。

あるいは実力不足に焦るお彩の、心の声だったのかもしれないが。

失敗した。この見立ては、うまくいかない。お彩に期待してくれたゆかりの目からも、すっと熱が引いていった。これ以上はもう、なにを言っても届くまい。

どうしよう。塚田屋の役に立つどころか、商いの邪魔になっている。右近がどういう表情をしているのか、振り返って見ることもできない。

「これはこれは、すんまへんなぁ」

ところが斜め後ろから聞こえてきたのは、いつもの間延びしたような声だった。商いが流れそうになっていても、少しも頓着していないかのような。

肩越しにそっと窺うと、右近はここに来たときと変わらず、にこにこと笑っていた。

「ゆかりはんが紫に飽いていたとは知りまへんで、こちらの準備不足ですわ。これはいったん持ち帰って、出直さしてもろてもよろしおすか」

鮮やかな引き際だ。こちらの傷がまだ浅いうちに、仕切り直しをしようとしている。その思い切りのよさに、舌を巻く。

「よござんす。べつに急ぐわけじゃないからね」

簞笥の抽斗を閉め、ゆかりもまたその申し出を受け入れた。

その一方で、「ただし、待たせるからにはいい案を出しておくれよ」と、お彩に睨みを利かせることも忘れなかった。

三

別宅を出てからは塚田屋に寄って着替えを済ませ、早々に家路についた。己の力不足が恥ずかしく、店にも客にも申し訳が立たなくて、とにかく一人になって考えをまとめたかった。

「べつに、気にせんでもよろし。わてら、痴話喧嘩に巻き込まれただけですよって」

右近はお彩の不明を責めることなく、むしろ慰めてくれたのだが、それではこちらが収まらない。

「すみません。明日朝一番で塚田屋に行って、ゆかりさんに似合いそうな色を選びますから」

「真面目やなぁ」

どうしてそんなにも、余裕があるのか。右近はお彩と二人になっても、笑顔を崩すことがなかった。

だがその後につけ加えられた言葉は、なかなかに手厳しい。

「まぁひと晩、よう考えてみとくれやす。金を出すんはご隠居はんゆうことを、忘れたらあきまへんえ」

つまり紫を着たくないゆかりと、どうしても紫を着せたいご隠居の、双方が納得する色を選べということだ。そんなとんち話のような色が、本当にあるのだろうか。

日蔭町の裏店に帰り、今まで見てきた錦絵を頭の中で繰ってみても、少しもいい案が浮かばない。そうこうするうちに日が暮れかけて、夕飯時になってしまった。

「彩、おい、お彩！」

強い口調で呼びかけられて、お彩ははっと息を呑む。向かい合わせに座る辰五郎が、沢庵を箸でつまみ上げている。

「これ、切れてないんじゃねぇか？」

薄く切ったつもりだったのに、沢庵は薄皮一枚で繋がって、蛇腹のようになっていた。目は見えなくとも、持ったときの重みでそれと気づいたようだ。

「ごめんなさい。貸して。すぐに切ってくる」

「いやこんなもんは、歯でちょっと嚙み切れば仕舞いだからいいんだが」

その言葉どおり辰五郎は、沢庵の薄皮に歯を立てる。ばりぼりと小気味のいい音を響かせながら、尋ねてきた。

「味噌汁も煮詰まってるし、菜っ葉も赤ん坊に食わせるみてぇにしなしなだ。心ここにあらずだな。どうした？」

まさか辰五郎が、お彩の悩みに気づくとは。驚きのあまり、飯のかたまりを嚙まずにうっかり飲んでしまった。芝神明宮（しばしんめいぐう）の門前での仕事は、問題なく続いている。周りの人にもよくしてもらっているようで、今日はこんなことがあった、あんなことがあったと話してくれることも増えた。

人の思いやりに触れたぶん、辰五郎はそれを、お彩にも返そうとしてくる。不思議なものだ。ほんの数ヵ月前までは、息をするのも精一杯の様子だったのに。世を儚（はかな）んで閉じ籠っていても、粥を啜っていれば命を長らえることはできる。だが人というのは他者とのかかわりを持ってこそ、本当に生きていると言えるのだろう。

「べつに無理にとは言わねぇが、気が向いたら話してみねぇ」

色の薄くなった辰五郎の目が、お彩を捉える。声がするほうを向いているだけと分かっているが、実は見えているのではないかとどきりとする。

もちろん、そんなはずはない。見えていたなら辰五郎は、雇われでも構わないと摺師の仕事に戻るはずだ。下絵を描く絵師と、版木を彫る彫師、その最高の仕事に命を吹き込むのが俺たちだと、いつも胸を張っていた。真っ白だった紙に少しずつ色が重ねられ、鮮やかに輝きだす様を眺めるのが、お彩は本当に好きだった。

光を失い、生き甲斐すら見失って腐っていた辰五郎に、今はもう見えもしない色のことを相談するのは酷なのではないか。そんな懸念が頭をもたげ、返事が曖昧になってしまう。

「うん、ちょっと仕事でね」

「なんでぇ、そんな話か」

辰五郎がつまらなそうに肩をすくめた。当てが外れたとでも言いたげだ。その態度は、さすがにむっとくる。

「なによ、自分から聞いといて」

「男かと思ったんだよ。お前、浮いた話はねぇのか」

「ないわ」

「右近さんとも?」

「あるわけないでしょう」

親子共々世話になってしまっているが、右近に対して特別な感情など芽生えもしない。それに右近には、他に想い人がいる。秘めた恋であろうから、辰五郎に話せないのがもどかしいのだが。

「あの人とは来世にだって、そういう仲にはなりません!」と、言いきった。

右近びいきの辰五郎は、不満そうだ。「男と女ってのは、分からねぇぞ」と、未練がましく食い下がる。三男とはいえ大店の息子である右近と、なにも持たぬお彩では釣り合うはずもないのに。辰五郎とて、人の親である。

「分かったわ、お父つぁん。もうお代わりはいらないのね」

近ごろ辰五郎は、夕餉に茶碗飯を二杯食べる。わざと音を立ててお櫃を下げようとすると、「そんなことは言ってねぇ！」と慌てて飯を掻き込んで、空になった茶碗を差し出してきた。


近くの武家屋敷に巣でもあるのか、夜鷹がキョキョキョキョキョと鳴いている。早く寝なければと焦るほど、その声が耳について離れない。頭の中で錦絵を繰るのも、もう何度目になるか分からなかった。

いっそのこと、紫がかって見えなくもない鳩羽鼠でお茶を濁してしまおうか。いいや、たとえそれでゆかりとご隠居が納得してくれたとしても、お彩自身が納得できない。これだという色が見つかるまで、人形町には足を向けられる気がしなかった。

首に当たる枕の位置までしっくりこず、ゆっくりと寝返りを打つ。隣の夜具から声がかかったのは、そのときだった。

「眠れねぇのか？」

すでに寝息を立てているものと思っていた、辰五郎だ。声が幾分、眠気に溶けている。

「ごめん、起こした？」

「いいや、大丈夫だ。眠れねぇときは無理をしねぇで、目を開けて夜の色を見つめとけ」

「夜の色？」

言われて瞼を持ち上げる。夜更けとはいえ、あたりの色は瞼を閉じているときと同じではない。

「真っ暗ってこたぁねぇだろ。何色だ？」

微かに差し込む月明かりが、台所の道具類の影を浮かび上がらせる。摑むことのできぬ色に、お彩はそっと手を伸ばす。

「深い深い、藍の色」

「ああ、いい色だ。じっと見ているうちに、眠くなってくらぁ」

光を失う前は辰五郎も、こうして眠れぬ夜の色を慈しんでいたのだろうか。この世に生まれ落ちる前からこの色には、馴染みがあるような心地さえする。

余計な気遣いは、いらなかったのかもしれない。たとえ目は見えなくとも、辰五郎の瞼の裏には鮮やかな色の記憶がある。

お彩は少しだけ、色の話をしてみる気になった。

「お父つぁん、知ってた？　染めの世界では、藍と紅を掛け合わせたものを二藍と呼ぶんだって」

「へぇ、どの色だ」

眠気が勝って、お彩の声があまり届いていないのだろうか。調子はずれな問いが返ってくる。

「だから、藍と紅を――」

「それを、同じ濃さで掛け合わすのか？　どちらかが少しでも薄かったりすりゃ、まったく違う色になるだろう」

「あっ！」

そういえば、藍と紅の配分は聞かなかった。絵の具ではその配分の妙で、様々な色みの紫を作るのだ。二藍という色の名が指すのは、いったいどの色みなのだろう。藍より勝るという、紫色。でもその藍の按排(あんばい)で、いかようにも色を変えるのではないか。

お彩は手と手を打ち鳴らす。ぐるりと身を反転させて、辰五郎に向き直った。

「分かった。ありがとう、お父つぁん！」

「うるせぇ。いいから寝ろ」

もうこれ以上はつき合っていられるか。とでも言いたげに、辰五郎はわざとらしく大鼾(いびき)をかきはじめた。

四

翌日の朝である。お彩は辰五郎を送り出してから、意気揚々と塚田屋に向かった。けっきょくあまり眠れなかったが、不思議と頭は冴えていた。

秋の風が、火照った頰に心地よい。己の思いつきにすっかり昂っているお彩の熱を、ほどよく奪い取ってくれる。少し落ち着かなければ。この案を、右近も受け入れてくれるとはかぎらないのだから。

「なるほど、それはわても面白いと思います」

ところが右近はお彩から話を聞くと、あっさりと首を縦に振った。本当にいいのかと、こちらが狼狽(うろた)えるほどだった。

名誉挽回は早いほうがいい。ご隠居たちの都合を聞くために手代が一人、人形町に走らされた。その間にお彩は着替えを済ませ、お春の手を借りて顔を作った。

「ええでっか、お彩はん。昨日もそうどしたけど、わての陰に隠れるようにして座るんはやめたほうがええ。慣れんことで自信がないのは分かりますけど、そんな人の話を誰が聞きたいと思います？　態度だけでも、堂々としていなはれ」

化粧を終え、右近から注意を受ける。いちいちごもっともである。

「はじめから、なんでもうまくでける人はおらへん。多少の失敗はわてが補いますよって、安心しよし」

これを昨日の大失敗の後に聞かされていたら、さらに落ち込んでいたかもしれない。だが今なら素直に聞けた。

「失礼します。いつでもお越しくださいとのことです」

手代が戻ってきて、そう告げる。

「おおきに」と労ってから、右近がにやりと笑いかけてきた。

「用意はよろしか？」

お彩は表情を引き締めて、大きく頷く。

「はい！」

「ええ面構えや。ほな行きまひょ」

怖くないといえば、嘘になる。だが昨日と違い、自分の案に多少なりとも自信がある。あとはゆかりに、どう伝えるかだ。お彩は紫系の生地見本帳だけを手に取り、表に向かう右近の後ろ姿を追いかけた。

「思ったよりも早かったねぇ。さて昨日の今日で、なにを思いついてくれたのやら」

きりりと紅を引いた唇で煙管を咥え、ゆかりが物憂げに息をつく。漂ってくる煙まで甘そうな、艶やかな風情である。

身にまとう着物は茄子紺の絞り。柑子色の帯を締め、その色みを引き立てている。ご隠居が紫にこだわるのも無理はないと頷けるほど、着姿が様になっていた。

昨日は出なかった茶を、通いらしい年嵩の女中が運んでくる。ご隠居が「羊羹も切ってやりなさい」と言うのを、右近が「お気持ちだけで」と辞退した。

お彩は膝の上に手を置いて、背筋を伸ばす。右近の後ろではなく、自ら横に並んで座った。

覚悟のほどが伝わったのか、ゆかりが「ふぅん」と唇の端を持ち上げる。

「これなら少しは、いい話が聞けそうだねぇ。さ、始めておくれ」

さぁ、いよいよだ。お彩は「かしこまりました」と応じ、膝の前に生地見本帳を滑らせた。

「ひとまずは、こちらをご覧ください」

「どれどれ」

ゆかりが冊子に手を伸ばし、中を検める。ぱらぱらとめくってゆくうちに、その表情が険しくなっていった。

「なんだい、これ。すべて紫系じゃないか」

アンタ、アタシの話を聞いていたかい？　眉間に寄せられた皺が、そう語りかけてくる。

　縮こまるなと己に言い聞かせ、お彩はますます胸を張った。

「はい、そうです。ひと晩ゆっくり考えてみましたが、ゆかりさんにはやはり、紫を着ていただきたいと思います」

「おお、よかった。分かってくれましたか」と、お彩の返答に喜色を浮かべたのはご隠居だ。ゆかりは「おふざけでないよ」と、こめかみを押さえた。

「紫はもう飽き飽きだと言わなかったかい？」

「ええ、ですからただの紫ではありません。二藍です」

「二藍？」

　お彩は畳に放り出された生地見本帳を引き寄せて、二藍の端切れが貼られたところを開く。見本では、青みがかった明るい紫になっている。

「この色は紫根ではなく、藍と紅をかけ合わせて染め上げます」

「へぇ、そうかい。でも紫根じゃないから紫とは違うって言い訳は聞かないよ。見た目は紫なんだから」

　もちろんそれしきのことで、ゆかりが満足してくれるとは考えていない。だから先ほど、店で右近にたしかめた。その知識を、元から知っていたかのように披露する。

「この二藍というのは、色みにかなりの幅があります」

「たとえば若い娘さんの着物なら紅を強めに入れ、逆に年輩者には藍を強めにして染めます。偏った言いかたをすれば、淡い紅ともっと淡い藍をかけ合わせれば桜色のようになりますが、それでもこれは二藍と呼べるわけです」

そして藍も紅も濃くかけ合わせれば、紺に近い色になる。絵の具がそうであるように、染めでも様々な色みの紫を作り出すことができるのだ。

「そのことを踏まえてお勧めしたいのが、二藍のぼかしです。濃淡を変えた二藍をこう、肩から裾にかけて濃くなるようにぼかして染めてゆくんです。紫系ではありますが、ひと口に紫とは呼べない、面白い一枚になると思いませんか？」

最後にゆかり自身に問いを投げ、仕上がりを想像させる。様子を見守っていると、その白い喉がこくりと上下した。

「へぇ、二藍ぼかし。それはたしかに、面白そうだね」

ゆかりといえば紫。芸者としても、そのように知られている人だ。形よく結われた頭の中では、二藍ぼかしでお座敷に上がったときの評判まで思い描いていることだろう。

悪くない。そう踏んだらしく、にやりと笑う。

「いやいや、待ってください」

だが今度はご隠居が難色を示した。お彩ではなく、右近に向かって訴える。

「面白いかもしれませんが、紫根を使っていないんですよね。そんな安物を、うちのゆかりに着せるわけには」

まさか、安いことに文句をつけるお人がいるとは。なんでも安く買えたほうが嬉しいと思ってしまう庶民のお彩には、信じられぬことである。

右近は慣れているのか、そんな訴えにも動じない。

「いえいえ、とんでもない。二藍の色みを少しずつ変えてぼかし染めにしてゆくのは、そうとうな手間がかかります。せやから申し訳ありまへんが、なかなかの値になってしまうかと」

「ああ、そうですか。いやいや、高くなるぶんには構いませんよ」

もはや、別世界の話をしている。お彩はぽかんとして、そのやり取りを見守った。

「すまないねぇ、うちの人が野暮な話をして。悪気はないんだよ。アタシに紫を着せようとするのも、見栄を張らせてやろうという心遣いでね」

ゆかりが頬を寄せ、耳元に囁いてくる。白粉のにおいに胸を躍らせつつ、お彩はそういうことかと頷いた。

ご隠居が紫にこだわるのは、ただの我儘ではなかったのだ。愛しいゆかりがお座敷で引き立つよう、いい装いをさせてやりたい。そんな旦那心ゆえに、選ばれた色だった。

ゆかりの紫には、様々な思いが込められている。ならばとお彩も、その耳に囁き返した。

「お似合いだと思います。ゆかりさんの名前と同じ、藍に勝る色ですから」

出藍という言葉がある。本来は藍より出ずる青を指し、弟子が師よりも優れていることを言う。

「お師匠さんがその名をくださったのは、たんに鰯が好きだからという由縁だけではないのでは？」

出過ぎた真似かもしれないが、藍と紫の関係について考えるうちに思いついたことを、伝えずにはいられなかった。

ゆかりがはっと身を引いて、壁に立てかけた三味線を見遣る。さっきまで爪弾いていたのか今日は袋に入っておらず、艶やかな胴を見せている。

ご隠居がしつこいくらい言っていた。ゆかりは三味線の名手だと。その手ほどきをした師匠だって、そう感じていたに違いない。

「さぁ、どうなんだろうねぇ」

ゆかりはついと、開け放した窓の外に目を移す。儚く揺れる秋草は、すべて匂い立つ紫だ。本当のところはどうだったのかと、問う相手はすでにない。

「生きていたってあの人は、すっとぼけるんだろうけどさ。偏屈で身寄りもなくって、アタシが葬式を出してやったんだ」

嫌だったはずの、「おむら、おむら」と呼ぶ声さえ懐かしい。吹く風に耳を澄ませて、ゆかりはくくっと喉の奥で笑った。

「分かった。少なくともアタシは、藍より勝るゆかりだと思っとくよ。違うってんなら、地獄の釜からよみがえってくりゃいいんだ」

世話になった師匠を地獄にいるものと決めつける、ゆかりもなかなかに偏屈だ。それでも笑った目の端が、心なしか切なげに映った。

五

新しい着物は、二藍ぼかしで作っておくれ。

ゆかりの言質(げんち)が取れたところで、人形町の別宅を辞してきた。

どうにかこうにか、やりきった。体によけいな力が入っていたせいか、妙に腰が定まらない。ふわりふわりと歩いていたら、道にできた窪(くぼ)みに足を取られた。

「おおっと！」

右近がとっさに、腕を摑んで引き留めてくれた。

「すみません。なんだか、気が抜けてしまって」

「でしょうなぁ。せやけど、うまくいきましたな」

狐面が、いたずらっぽく微笑みかけてくる。苦労が報われた気がして、お彩はほっと息をついた。

「ええ、本当に。一時はどうなることかと」

「まぁわては、間を空ければどうにかなると思とりましたけどな」

「えっ、そうなんですか」

右近はお彩の腕を離し、先に立って歩きだす。その後を、追いかけるようなかたちになった。

「言いましたやろ、痴話喧嘩に巻き込まれとるだけって。ひと晩明けて、仲直りしやはったんやろな。ご隠居はん、機嫌がよろしゅおましたやろ」

言われてみれば茶が出てきたし、羊羹まで切ろうかと言っていた。ゆかりも昨日ほど頑なではなく、ご隠居を庇うようなことまで嘯いてきたではないか。

「それじゃあ、そんなに悩まなくても――」

「ええ、明日か明後日には、紫の着物でよござんすという報せが入ったに違いありまへん」

「そんな――」

それならそうと、先に言ってほしかった。いったい自分はなんのために、夜も寝ないで知恵を振り絞ったのだろう。

「せやけど思てたよりずっとええ案をお彩はんが出してくれはったから、なんも言うことありまへんわ」

まさかそのために、お彩を追い詰めたというのか。今さらながら寝不足がたたり、眩暈を覚える。

「いやほんまにお彩はんは、ええ仕事をしてくれますなぁ」

これは一応、褒め言葉と取っておこう。もはや、怒る気力も湧いてこない。

日本橋の町は今日も人出が多く、物売りの声が飛び交っている。お彩が落とした溜め息は、右近の耳には届かなかったようである。

「あ、そういえば」

もう一つ、疑問に思っていたことがあった。目の前で揺れている袖を引くと、右近が「わわっ」と体勢を崩す。ざまを見ろだ。

「どうして紫と書いて、ゆかりと読むんでしょう」

唐突かもしれないが、気になりだすと止まらない。「むらさき」と「ゆかり」では、音も字数も違うではないか。そういうものと思ってきたが、あらためて考えてみると不思議だった。

そのわけを知っているのか、右近が「ああ」と心得顔に頷いた。

「古今和歌集ですわ。『紫のひともとゆゑにむさし野の草はみながらあはれとぞみる』

とゆう、詠み人知らずの歌からきてますねや」

庶民の娘であるお彩に、三十一文字の素養があるはずもない。首を傾げていると、右近が解説を加えてくれた。

「たった一本の紫草が生えているために、武蔵野の草がすべて愛おしいものに見える。ようするに、坊主憎けりゃ袈裟まで憎いの逆どす。その一人のために、縁のある者まで皆愛おしく見えるゆうことですわ。これを『紫のゆかり』とも言いますな」

「なるほど」

そんな由来があったとは、今の今まで知らなかった。ならば三味線の師匠がゆかりの名に込めた想いは、もっと深かったのかもしれない。

紫のゆかり。お彩は摑んだままだった右近の袖を、そっと離す。頭の中にまた一つ、新たな疑問が浮かんでしまった。

だったら右近さんが、京紫ばかり着ているのはなぜ？

紫染めの職人の前では、「一番似合いますねや」と笑っていた。だがそのひと言では片づけられないほど、右近は京紫にこだわっている。簞笥の中はきっと、この色で溢れかえっているのだろう。

京の大店に生まれたものの、庶子の三男。兄弟からは妾腹と蔑まれ、任されるべき店もない。挙句の果てに、惚れた女は次兄に嫁した。

あなたも誰かの、ゆかりの人になりたいの？

などと考えるのは、感傷が過ぎる。下手な邪推は迷惑に違いない。

「小腹が空きましたな。大福でも買うて帰りまひょか」

右近はけろりとした顔で、餅菓子の屋台の前で足を止める。

赤みのある京紫は、埃っぽい江戸の町には溶け込まない。この人はこれから、どこへ向かう気なのだろう。

「お彩はん、いくつ食べはります。三つどすか、それとも四つ？」

にやけた顔が振り返り、そんなことを問うてくる。

いったいなにを、憂えているのか。右近はいつもどおりの、小憎らしい右近ではないか。

「失礼な。そんなに食べません！」

お彩は我に返り、その場で足を踏み鳴らした。

朱に交われば

一

紅葉の錦とは、よく言ったもの。

鮮やかな朱に染まった楓の葉が、頭上を覆いつくしている。

朱ばかりではない。日当たりの加減か青朽葉(あおくちば)、黄、色が進みすぎた深緋(こきあけ)と、彩りを変えて交じり合う様はまさしく色とりどりの糸で織り上げた錦の裂(きれ)を見るようだ。天気がいいものだからなおいっそう、眩しいほどに燃え立っている。

かといって、頭上に目を奪われていては足元が疎(おろそ)かになる。木の根につまずきそうになり、お彩(あや)は「あっ」と小さく声を上げた。

足を踏みかえて事なきを得たものの、山の斜面を切り崩しただけの階段は起伏が多い。木々が根を伸ばしていたり、取り除けなかった岩が埋まっていたりと、歩みを妨(さまた)げるものはいくらでもあった。

「お父つぁん、気をつけてね」

足元を杖で探りつつ歩く辰五郎(たつごろう)の肩に、手を添える。目の見えぬ父を気遣ったつもりが、うるさそうに顔をしかめられた。余計な手助けはするなということだ。

紅葉の名所、品川鮫洲(さめず)の海晏寺(かいあんじ)。本堂裏手の山である。寺の本尊は品川沖でかかった鮫の腹から出てきた観音像と伝えられ、それが鮫洲の由来ともなっている。

その山を辰五郎は、たしかな足取りで登ってゆく。常人より時はかかるものの、頭上の錦に目を奪われないぶん、空足を踏むようなこともない。着物の裾から時折覗く脛(はぎ)はかつての棒っきれのような細さではなく、力強さすら感じられた。

さて錦の雲が連なる前方に、異様に目立つ京紫が佇んでいる。この江戸で好き好んであんな色を身に着ける者は、一人しかいない。こちらに気づき、右近(うこん)が「お彩はん」と手を振った。

息が切れるほどの山ではない。しかし今日は十月にしては暖かく、こめかみにうっすらと汗が滲んでいる。右近の傍らで立ち止まり、お彩はふうと息をついた。

「いやぁ、なかなかのもんどすな。紅葉といえば東山に北野、それから嵯峨野と京には名所がようけおますけども、ここも引けをとりまへんなぁ」

紅葉など、どこで見ても美しいもの。それでも京の名所を持ち出して比べずにいられないあたりが、京男というものか。鼻につく言い回しに、うっかり頰が引きつってしまう。

「せやけどまぁ、あれだけは京ではお目にかかれへん。お見事どす」

そう言って、右近がお彩の背後を指差した。つられて来し方に目を向けると、眼下に広がるのは果てしない紺碧(こんぺき)である。吹く風に潮の香りを運ばせて、鮫洲の海が穏やかに波打っていた。

「うわぁ」

思わず感嘆の吐息が洩れる。晴天の空を映し、海はどこまでも青く澄んでいる。楓の葉は陽光に透かされてちらちらと彩りを変え、けっきょくのところ色とは光なのだと気づかされた。その光を永久に失ってしまった父の手を、お彩はぎゅっと握りしめる。

「綺麗よ、お父つぁん。錦絵にするなら海はベロ藍。濃淡をつけて波の白さを際立たせて、紅葉は真朱、赤くなっていないのは裏葉色で、それから――」

「いや、いい。素人のお前が一人前に色差しをするんじゃねぇ」

辰五郎の代わりに目になろうとしたが、話半ばで遮られた。馴染みのある錦絵にたとえれば分かりやすかろうと気を回しても、腕利きだった元摺師からすれば差し出口でしかない。

「俺ならでぇじょうぶだ。瞼の裏に、ちゃあんと色が浮かんでらぁ」

それはかつて何度も見た、紅葉の風景か。たとえ光を失っても、人はまだ心で色を見ることができるのだ。辰五郎の瞼に映る色は、お彩が見ているよりずっと鮮やかで美しいのかもしれない。

「ベロ藍も真朱も、絵の具ならではの色どすなぁ」

父娘の会話を聞いていた右近が、興味深そうに顎を撫でる。ベロ藍は西洋から入ってきた青で、真朱は土の中から掘り出した丹朱から作られる朱色だ。どちらも染めに用いられることはなく、呉服屋の右近にとっては馴染みがないのだろう。

染めならば、人工のベロ藍を使わずとも天然の藍で綺麗に染まる。では朱は？　と考えても、お彩の頭の中に答えはない。

「朱の色は、染め物ではなにを使って出すんですか」

「昔なら、茜どすな。せやけど茜染めは手間がかかりますし、色を綺麗に出すんが難しいですよって、今はだいたい紅花どす。たとえば女の人の蹴出しに使われる紅絹なんかは、鬱金と紅花をかけ合わせて染められますな」

蹴出しは着物の下に着ける裾除けで、紅絹色は紅葉の色に似た緋色である。お彩が今身に着けている蹴出しがまさにそれで、歩いているときに覗きでもしたかと、着物の裾をかき合わせた。

その慌てぶりを見て、右近がにんまりと目を細める。

「蹴出しはやっぱり、紅絹どすなぁ。その万筋の着物にも、よう合いますえ」

べつに見えて困るものではないのだが、口に出されると気恥ずかしい。お彩は返す言葉もなく右近を睨みつけた。

「二人とも、じゃれ合うのはほどほどにしねぇ。泉市を待たせてんだろ」

「じゃれ合うって――」

先ほどの会話のどこを取ればそう聞こえるのか。お彩が文句をつける前に、辰五郎は杖をつき先へと進む。

紅葉を肴に酒を飲む酔客が、調子外れな歌声を響かせている。絡まれでもしたら大変と、お彩は慌てて後を追った。

頂に近づくにつれ、紅葉狩りの客を当て込んだ葦簀張りの茶店が増えてくる。茣蓙を敷いた幅広の縁台がそこここに設けられ、人々はその上で弁当を使ったり酒を飲んだりと、思い思いに寛いでいる。

短冊を手に一句捻ろうと黙考する俳人風の男がいれば、茶を点てる大店の旦那と思しきもあり、風流人の姿が多く目につく。浮かれたような春の花見の賑わいとはまた違う、落ちついた趣がそこにはあった。

その縁台の一つに、草履を脱いでどっしりと腰を据えている男がいる。お彩たちに気づき、「おーい、ここだ」と声を上げた。

松葉色の小袖に樺茶の羽織、派手な装いでなくとも目を引くのは押し出しのよさゆえか。鬢の毛に白いものが混じりはじめているものの、枯れた感じはなくまだまだ脂が乗っている。

「辰の字、よく登ってこられたなぁ。てぇしたもんだ」

縁台から飛び降りて、くだけた口調で辰五郎を迎える。父と同年輩のこの男は、芝神明宮の傍に店を構える版元、和泉屋市兵衛。通称泉市、その五代目である。昔馴染みの気安さで、辰五郎は「あたりめぇだ」と胸を張って見せた。

「さぁ、飲め飲め辰の字。灘の上諸白だ、たぁんと飲め」

「よせやい。俺ぁ、酒はほどほどと決めてんだ」

辰五郎を縁台に引きずり上げて、五代目泉市がちろりを差し出した。近くの茶店の年増女が、燗をつけて運んできた酒だ。いくばくかの金を渡し、持ち込んだ酒を温めてくれと頼んでいたようである。

「お彩ちゃんも、しばらく見ねぇうちにすっかり女盛りになっちまって。お前さん、辰に似なくてよかったなぁ」

「うるせぇよ」

和泉屋市兵衛とは、先代が健在だったころからのつき合いだ。かつては抹香臭い書物ばかりを扱う版元だったらしいが、先代すなわち四代目のころに錦絵や草双紙といった娯楽物に手を広げ、商いを大きくした。

その立地から特に芝に住む作家や絵師を起用して、初代歌川豊国を見出したのも先代である。豊国の描いた『役者舞台之姿絵』という一連の役者絵が当時活躍していた東洲斎写楽と人気を二分するほどに当たり、江戸を代表する版元の一つとなった。

そんな遣り手の先代が世を去り、五代目が跡を継いだのは十年ほど前のこと。歳が近い五代目と辰五郎は、ただの版元と摺師の域を超えたつき合いをしていた。三年前の火事より後も、何度か見舞いに来てくれたほどだ。酒に溺れ荒れていた辰五郎は、それを手ひどく追い返した。

五代目もべつに、暇ではない。度重なる理不尽な仕打ちに次第に足も遠のいてゆき、すっかり縁が切れたと思っていた。それが先日、芝神明宮の芝居小屋で辰五郎が客の呼び込みをしていたところに、ばったり鉢合わせたのだという。

「しかし驚いた。芝でてめぇを見かけたときは、幽霊にでも出くわしたかと思ったぜ」

「馬鹿を言うねぇ。足ならあらぁ」

五代目に肩を叩かれて、辰五郎がはにかんだように笑う。あの日仕事から帰ってきた辰五郎も、笑いを堪えるような顔をしていたものだ。「懐かしい奴に会っちまった」と呟く声は、隠しきれぬ喜びに震えていた。

和泉屋市兵衛の地本問屋と芝居小屋は、目と鼻の先だ。辰五郎はこの再会を、心のどこかで期待していたのかもしれない。会えばたちまち時が戻り、こうして紅葉狩りに誘われたというわけだ。

「それで、こちらのお人が噂の――」

盃を差し出しながら、五代目が同じく縁台に座った右近を窺う。それを受けて、辰五郎が力強く頷いた。

「ああ。俺を真人間に戻してくれた、塚田屋の右近さんだ」

「それはそれは。ささ、どうぞ一献」

「いえいえ、そんなたいそうなことはしとりまへん」

右近も宴席は手慣れたもの。如才のない笑みを浮かべ、盃を受けている。それとは逆に五代目は、悔やむように顔を歪めた。

「いや俺もね、無理にでも辰を外へ引きずり出してやりゃよかったんだ。だけどこいつが『版元様が摺師じゃなくなった俺になんの用がある！』って茶碗を投げつけてきやがってさ。頭に来ちまって、あとは売り言葉に買い言葉だ。『ああ、ねぇな！』と言い返して、危うくそれっきりになっちまうところだった」

「いいや、お前はなんにも悪くねぇ。捨て鉢になってた俺がいけねぇんだ」

「でもお前の気持ちを考えりゃ、もっと気長に話を聞いて――」

「あのころの俺は、まともに話ができるような奴じゃなかった。本当にすまなかった」

五代目も辰五郎も、謝るのは俺だ、いいややっぱり俺が悪いの繰り返しで、話がちっとも前に進まない。呆れて口を挟めずにいると、右近がにこやかに幕を引いてくれた。

「どっちもどっち、そういうことにしときまひょ。辰五郎はんかてわてがなんのしがらみもない相手やからこそ、素直に言うことを聞いてくれはったんやと思いますえ」

「ああ、それもそうだな」

「俺がなに言っても、聞きゃしねぇもんな」

なにがおかしいのか、男三人が声を揃えて笑いだす。お彩とて五代目泉市とのよしみが戻ったのは嬉しいが、酒席というのはどうも苦手だ。軽妙なやり取りができなくて、身の置き所をなくしてしまう。

「さ、お彩ちゃんも一杯やりねぇ」

五代目に酒を勧められても、お彩は盃も取らずに首を振った。

「いいえ、私は水で充分――」

「彩、せっかくだから少しは飲みやがれ」

お彩が酒をたしなまないのは、辰五郎の酔態を嫌になるほど見てきたからだ。飲みはじめれば潰れるまで飲まねば気が済まず、寝たまま小便を垂れ流す。飲まさなければ暴れたり、泣き落としにかかったりと、散々な有様だった。

その辰五郎が、かつての醜態を忘れたかのように飲めと言う。苛立ちを覚えたがお彩はいったんそれを飲み込んで、注がれた酒に口をつけた。

白い盃に残った紅を、指先でそっと拭う。右近に贈られた万筋の着物を着て、うっすらと化粧もしていた。今日ここにいるのはたんなる辰五郎のつき添いではなく、仕事を兼ねているのだった。

二

ひとまず食べながら話そうと、五代目が用意していたお重を広げた。

握り飯に卵焼き、椎茸の笠煮、蒲鉾(かまぼこ)、野菜の煮つけなどがぎっしりと詰まったご馳走である。縁台に散り落ちる紅葉と、よその客から聞こえる三下がりの三味線の音が、酒席に艶を添えてくれる。

「ところで泉市はんは、お一人で?」

座持ちのいい男だ。右近が五代目に酒を注ぎ返し、さりげなく話題を変えている。

「いいや、後からまだ人が来る」

「そうどすか。差し支えがなければお酒が進む前に、着物の話をさしてもらおうかと思いましたんやけど」

「ああ、それもそうだ。酔う前に、色見立てをしてもらおうか」

鰹出汁がたっぷり染みた甘い卵焼きを頰張っていたら、いつの間にか仕事の話が進んでいた。なぜ皆、食べながら話せるのだろう。お彩は忙しなく口の中のものを飲み込んだ。

「近ごろ日本橋の呉服屋に、たいそうな色の目利きがいると聞いちゃいたんだ。まさかそれが、小さいころからよく知るお彩ちゃんだったとはな」

　噂というのは得てしてそういうものだが、ずいぶん大げさに伝わっている。決まりが悪くて、お彩は飲み込んだばかりの卵焼きに噎せた。他に飲むものがなく、酒でどうにか流し込む。喉元がじわりと熱くなった。

　再会を喜び互いの近況を尋ね合ううちに、辰五郎はお彩の仕事のことまで話したらしい。ならば前から気になっていたことでもあるし、ぜひ色見立てをしてもらおうと、勝手に話がまとまってしまったのだ。

「そんな、私が目利きだなんて――」

「言われてみりゃお彩ちゃんは、錦絵が好きでいつも食い入るように見てたもんなぁ。絵の具だって身近にあったし、見る目が鍛えられてても不思議はねぇよ」

　お彩の謙遜を、五代目はまるで聞いていない。いくら「泉市のおじちゃん」と親しんだ相手でも、そんなふうに持ち上げられると胃の腑が重くなる。

「なぁに、まだまだ雛っこだ。くだらねぇ案を出しやがったら、遠慮なく叱ってやってくれ」

　かといって辰五郎のように、軽んじられても腹が立つ。どうせ分かるまいと、隣に座る父を横目に睨んだ。そのお蔭で、少しは落ち着きを取り戻せたようだ。

　さて、五代目の依頼はなんの見立てか。気を引き締めて、お彩はその眼差しをまっすぐに捉える。

「そろそろ正月用に、黒羽織を新しく作ろうと思っていてね」

五代目の目元が、優しく弛(ゆる)む。腕前を試してやろうという底意地の悪さはなく、幼いころから知るお彩のために祝儀代わりに仕事をくれたのだと分かる。ならばいっそう、相手の意に沿う色を見立てたいと思う。

「なるほど、黒紋付きどすな。生地はどないしまひょ」

「縮緬(ちりめん)にしてくんな。それでお彩ちゃんに頼みたいのは、羽裏(はうら)の見立てだ」

やはりとお彩は頷き返す。お上が幾たびも奢侈(しゃし)を禁ずる触書を出すものだから、男の羽織も黒や茶といった目立たぬ色ばかりである。その代わりに、表からは見えぬ裏地に凝るのが粋となった。

大店の旦那などは一枚絵のような絵羽柄を裏に配していたりもして、まさに江戸の裏勝り。その意匠を、五代目はお彩に任せたいというのである。

「かしこまりました。黒羽織の裏ですね」

お彩はしばし、目を瞑る。塚田屋の色見立てを務めるようになって、まだほんのふた月。相も変わらず年輩者の見立ては苦手だが、五代目和泉屋市兵衛が相手ならばその人となりを知っている。

たとえば才気走っていた四代目は洒落者(しゃれもの)で、年老いても羽裏から煙管(きせる)の羅宇(らう)、鼻緒の色に至るまで細かいこだわりがあったものだ。一方の五代目はといえば、身に着けるものにさほど執着はないのである。見る人を不快にさせない程度に洒落ていて、清潔であればいいと思っているふしがある。

　それでも版元の主として、正月くらいは多少の張りが必要だ。羽裏など人に見せるものではないが、大切なのは着る者の心意気。これぞ和泉屋市兵衛と、胸を張れるような色はないものか――。

　お彩は目を見開き、頭上を仰ぐ。視界いっぱいに、鮮やかな緋色が広がった。風に吹かれ、楓の葉がさわさわと揺れている。

　そうだ、これ以外にない。お彩は顔を正面に戻すと、五代目に挑むような目を向けた。

「ならば、紅絹がいいでしょう」

　きっぱりと、そう言い切った。

　お彩を見守っていた五代目の表情に、戸惑いが浮かぶ。だがすぐに顔をつるりと撫でて、取り繕った。

「ああ、紅絹だな。それはいい」

　その言葉はまるで、己に言い聞かせているかのようだ。とっさに胸の奥へと畳み込んだ五代目の本音を、代わりに口にしたのは辰五郎である。

「ちょっと待ちやがれ。馬鹿を言っちゃいけねぇ。黒羽織の裏に紅絹なんて、べつに珍しくもねぇだろう」

そんなお粗末な見立てで金を取ろうとは、我が娘ながら許しがたい。辰五郎の声には怒気さえ含まれている。

「そうどすなぁ。たしかに粋な男はんは、だいたい紅絹を使うてますなぁ」

右近もまた、お彩の意図をはかりかねて首を傾げた。

紅絹は女の蹴出しだけでなく、羽裏にもよく使われる。特に黒羽織とは色の相性がよく、羽織を脱ぐとき緋色の裏がちらりと覗いたりすれば、すばらしく粋である。

粋だがしかし、珍しくもない。呉服屋の手代でも、粋好みの客にはこの取り合わせを勧めるだろう。

色の目利きなどと謳っておいて、期待外れもいいところ。さっき五代目が隠したのは、お彩に対する失望である。どうせ呉服屋が大げさに宣伝したのだろうという、諦めも感じ取れた。

それでもお彩は意見を変えるつもりはない。だって、五代目和泉屋市兵衛が着る黒羽織なのだから。

「まぁ、もうちょっと詳しく聞いてみまひょ。なんでそう思わはったんどす？」

右近が先を促してくる。お彩がなんの考えもなしに案を出したわけではないと、この男なら知っている。

怒りを露(あら)わにしていた辰五郎も、右近の取りなしでわけくらいは聞いてみようという気になったようだ。「ふん」と鼻を鳴らし、ひとまずは口を閉じた。

「たしかに、よくある組み合わせです。けれども見る人が見れば、『ヨッ、泉市！』と声を上げたくなるかもしれません。『役者舞台之姿絵』に、そんな一枚がありますよね」

初代歌川豊国の出世作であり、和泉屋市兵衛の名を世に広めるきっかけにもなった、四十四枚からなる役者絵だ。人気役者の舞台姿を描いたその揃物(そろいもの)の中に、黒羽織を羽織った人物がいる。

「『きの国や』か！」

答えにたどり着いたのは、五代目より辰五郎のほうが早かった。思いつくなり、勢いよく己の膝を叩いた。

歌川豊国による、『役者舞台之姿絵　きの国や』。描かれているのは『花菖蒲文禄曾我(はなあやめぶんろくそが)』の大岸蔵人を演じる、三世沢村宗十郎である。

右手に持った扇子を開き、肩越しに振り返る、宗十郎の立ち姿が描かれた一枚だ。紀伊國屋の定紋である丸にいの字が入った黒羽織は右肩だけを脱いでいて、羽裏の紅絹色がちらりと覗く。同役の大首絵を東洲斎写楽も描いているが、大柄で立て役の随一と言われた宗十郎の芝居姿を、より強く捉えているのは豊国のほうであろう。

「なるほど。今の和泉屋市兵衛があるのは間違いなく、『役者舞台之姿絵』の大当たりのお蔭だ。その一枚に倣(なら)うわけか」

こりゃあ正月に挨拶に来る絵師たちが面白がりそうだと、五代目が前のめりになった。辰五郎までが乗り気になって、合いの手を入れる。

「どうせなら、小袖も海松(みる)色にしちまっちゃどうだい」

「なりきるわけだな。今どきの若ぇ絵師は気づかねぇかもしれないが」

「それは精進が足りねぇだけだ。叱ってやれ」

錦絵の中で宗十郎が黒羽織の下に着ているのが、暗い黄緑色をした海松色の小袖なのである。四十年近くも前に刊行されたものだから、若い絵師ならば知らないのも無理はない。お彩だって、辰五郎が錦絵を集めていなければ見ることもなかっただろう。若い者にとって五代目の装いが、古い名作を知るきっかけになればなによりである。

「色見立てを頼んだことに深い意味はなかったんだが、お蔭で正月が楽しみになってきやがった。ありがとよ、お彩ちゃん」

五代目が喜色満面に膝を進め、空になっていたお彩の盃に酒を注ぐ。「どんどん飲んでくれ」と嬉しそうにされては断ることもできず、仕方なしにまたちびりと飲んだ。

「ほな、黒紋付きに紅絹の羽裏でよろしおすな」

「ああ、それに海松色の小袖もつけてくんな」

「おおきに、ありがとうございます」

右近が商人らしくへりくだり、懐から帳面と矢立を取り出す。五代目から身丈や家紋を聞き出して、さらさらと書きつけている。

「仕立てはどないしまひょ」

「ああ、それはうちの嬶ァがやってくれるから大丈夫だ」

「ほな、反物のお渡しだけでよろしおすな」

羽織だけでなく小袖の注文まで入ったのだから、右近はほくほく顔である。塚田屋の役に立てたのなら、お彩とて本望だ。

「せやけど辰五郎はんもお彩はんも、昔見た錦絵をよう覚えてはりますな」

「俺ぁ、一度見た錦絵は忘れねぇよ」

酒は本当にほどほどにして、辰五郎が五代目から借りた煙管で煙草を吹かす。盲目になってからは火を怖がるようになり、自然と煙草もやめていたが、旧知に会い久し振りに吸いたくなったものと見える。

「もう頭の中の錦絵が、増えることはねぇけどな」

そう言って、辰五郎は自嘲気味に笑った。頬が引きつったのが自分でも分かったらしく、「三年ぶりの煙草は苦ぇな」と強がって見せる。

こんなにも、才に溢れた人なのに。

　お彩が錦絵を覚えているのは、かつて家にあったものを何度も繰り返し眺めたからだ。一度見ただけでは、とても細部まで覚えられない。だが辰五郎はそれだけでなく、頭の中に叩き込んだ錦絵に使われているのと同じ色を、絵の具で作り出すこともできたのだ。優れた摺師とその技が永久に失われてしまったことを、あらためて惜しいと思う。あの火事のとき、作業場に残された版木を取りに戻らなければ、辰五郎は今も馬棟を握れていただろうか。

　だがたとえ時を巻き戻せたとしても、辰五郎はやはり版木を守ろうとするだろう。だって父は、一流の摺師だ。一流の彫師が精魂込めて彫り上げた版木が灰になってゆくのを、手をこまねいて見ていられるわけがなかった。

「それなんだけどよ、辰の字。お前、お彩ちゃんの目を借りて錦絵の世界に戻ってこねぇか」

　煙草盆を探してさまよっていた辰五郎の手を、五代目が握る。唐突に聞こえたが、辰五郎と再会してからずっと考えていたのかもしれない。目つきが真剣そのものだ。

　相手の表情を窺えない辰五郎は、その申し出を笑い飛ばした。

「なに言ってやがんでぇ。こんな雛っこの目が、なんの役に立つってんだ」

「俺は、突拍子もねぇことだとは思わない。さっきの見立て、わくわくして鳥肌が立っちまった。お彩ちゃんは、いい目をしている」

「そうだとしても、こいつはてめぇの見たいものだけを見て生きてきゃいいんだ。俺の目の代わりなんざ――」

とそこへ、「目がどうしたって?」と、新たな声が割り込んできた。

縁台の縁に、誰かがどさりと腰を下ろす。壮年の男である。

黒い小袖に、黒い羽織。腰で締めた帯だけが赤い、いわゆる腹切帯である。切腹したように見えることからその名がつき、縁起が悪そうにも思えるのだが、これも粋な組み合わせとされている。

眼光鋭く、しかし眉は剃り落としたかのように薄いため、人相の悪さが際立っている。誰だろうと思っていたら、男は握った拳を突き出し、辰五郎の鼻先でぴたりと止めた。殴る気なのかと、肝が冷えた。辰五郎は避けるどころか、拳が眼前に突き出されたことさえ気づいていない。

「へぇ、本当に見えてねぇのか」

なんだ、この男は。失礼にもほどがある。こめかみが熱を帯び、「なんですか、あなたは！」と誰何する声が甲走った。

「うるせぇぞ、彩。こいつはたぶん、知り合いだ」

しかし窘められたのは、お彩のほうだ。

「来たか、摺久」

五代目がその男に、余っていた盃を差し出した。

三

木曽屋久兵衛（きそやきゅうべえ）、通称摺久。五代目が後から来ると言っていた相手は、父のかつての商売敵であった。

これまで面識はなかったものの、お彩はその名を穏やかな気持ちでは聞けない。摺師のくせに、絵の出来映えより金が大事な男である。

実際に会ってみると、想像以上に嫌な奴だ。態度が大きいせいかそんな感じは受けないが、よく見れば小男である。立てばお彩と目の高さが並ぶのではなかろうか。

「お彩はん、眉間。箱根の山の谷間（たにあい）くらい深い溝ができてますえ」

そんな益体（やくたい）もないことを、右近が耳元に囁いてくる。摺久がお彩と辰五郎の間に割り込んできたせいで、その真隣に座る羽目になってしまった。

「うるさい。放っといてください」

「せやけど、白粉がよれますえ。そろそろ皺も心配なお年頃どすし」

いちいち腹の立つ男だ。だが今はそれ以上に、摺久に対する苛立ちが抑えきれない。

盃を口に運びながら、摺久は辰五郎の目の前で小刻みに手を振っている。

「つまらねぇな。ちょっとでも見えてんなら、うちの下働きに使ってやってもいいと思ってたのによ」

駄目だ、もう我慢ならない。お彩は膝で前に進み出て、摺久の手を摑んだ。

「やめてください」

「なんだ、てめぇは。さっきからうるせぇ女だな」

「お父つぁんを、馬鹿にしないで」

「ああ、摺辰の娘か。好みじゃねぇな」

なぜこんなにも、気に障ることばかり言えるのか。右近も相当なものだが、回りくどい言い回しをしないぶん、こちらのほうが神経に刺さる。

「彩、構うな。こいつは昔っからこういう奴だ」

それに五代目の客でもある。「まぁまぁ、ここは穏便に」と取りなされ、お彩はしかたなく後ろへ下がる。右近が宥めるように肩を叩いてきた。

なぜ辰五郎がいる紅葉狩りの席に、こんな男が呼ばれたのか。五代目のことまで恨めしくなってくる。茶店の年増が運んできた追加の酒を、お彩は自棄になって呷った。

「よぉ、摺辰。お前今、なにしてんだい？」

摺久が、お重の中の蒲鉾を指でつまみ上げる。嚙む音が耳障りなのは、おそらくわざとだ。

「縁あって、芝居小屋の呼び込みをさしてもらってる」

「はぁ、呼び込み？　なんだそりゃ、笑えるじゃねぇか」

「そうか、ならよかった。それに俺ぁもう、摺辰じゃねぇ」

耳元で咀嚼(そしやく)の音を聞かされても、辰五郎は表情も変えずに座っている。無礼を働いたはずの摺久のほうが、呆れたように顔をしかめた。

「なぁ、五代目。こいつぁ駄目だ。やっぱり使えやしねぇよ」

水を向けられた五代目は、弱り顔で辰五郎から返してもらった煙管を吹かしている。日頃から摺久の型破りな言動に、振り回されているに違いない。

「泉市お前、俺になにをさせる気だったんだ」

辰五郎からも問い詰められて、五代目は参ったと言いたげに肩をすくめた。

「ちょうどそれを、話そうとしてたんじゃねぇか。お前さんには、後摺(のちずり)の色差しをしてもらえねぇかと思ってよ」

「後摺の？」と、お彩は思わず問い返す。

錦絵のどこにどの色を入れるか指図する色差しは、もちろん絵師の仕事である。だが初摺(しよずり)が売れて増摺をするとなると、その先絵師は立ち会わず、摺師の裁量に任される。

「後摺はどうしても、色数を減らしたり手間のかかるぼかしを省いたりするだろう。そりゃあ多少はしょうがねぇんだが、初摺とあんまり違うのもどうかと思ってよ」

どんなに腕のいい摺師がいたとしても、手は二本しかない。大当たりならば何千枚と出る錦絵を、初摺と同じ手間で摺り上げるのはとうてい無理な話である。そこで摺師が独自に色数の調整などを行うわけだが、中には初摺とは似ても似つかぬ改悪を施す輩もいる。

「つまり後摺の色にも、ある程度の決まりを作るということですね」

気が高ぶって、お彩は身を乗り出した。「そのとおりだ」と、五代目が頷き返す。

「元摺師の辰なら、初摺の趣を損なわず、摺師の負担も減らせる、ちょうどいい色差しができるんじゃねぇかな」

「とてもいいと思います！」

それは素晴らしい試みだ。辰五郎を差し置いて、お彩は両の手を打ち鳴らす。

「私も以前から、富士を真っ赤に塗ってしまう摺師を歯痒く思っていたんです」

「あん？　なんだそりゃ、俺のことかよ」

他に誰がいる。鋭い眼光を寄越してくる摺久を、お彩も負けじと睨み返す。

葛飾北斎（かつしかほくさい）の『凱風快晴』を『赤富士』にされた恨みを、お彩はまだ忘れていない。

「馬鹿馬鹿しい。あの絵は富士が赤ければ赤いほど売れるってのによ」

「売れればなんでもいいってわけじゃないでしょう」

「いいんだよ。絵師も彫師も摺師も、版元だって、道楽でやってるわけじゃねぇんだ。

「売れなきゃなにもはじまらねぇ」

なんだその言い草は。腹の底が、燃えるように熱い。興奮した牛のように、鼻息が荒くなっている。「酔うてますな」と袖を引いてくる右近の手を、勢いよく振り払った。

「べつに、あなたの絵じゃないのに」

「いいや、俺の絵だ！」

荒ぶるお彩に、摺久もまた血走った目で叫び返した。

「錦絵ってのは、絵師だけのもんじゃねぇ。彫師がいて摺師がいて、やっと一枚の絵が出来上がるんだ。俺は必ず、摺久の名を後世に残してやる！」

あまりの剣幕に、思わず飲まれそうになる。その隙に摺久は、草履を突っかけて立ち上がった。

「おいおい、ちょっと待てよ」

「待たねぇ、帰る。牢屋敷が沸く日は、まったくろくなことがねぇ」

五代目が引き留めても、まるで聞く耳を持たない。二歩三歩と歩きだしたところに、辰五郎が声をかけた。

「なぁ、摺久。卯吉(うきち)と平太(へいた)は達者でいるか」

二人とも、摺久の下で働く辰五郎の元弟子だ。火事で散り散りになったあと、お彩は卯吉と幾度か顔を合わせているが、そのことを辰五郎には伝えていなかった。

摺久が振り返り、嘲るような笑みを浮かべる。

「なんだ、あいつら。お前に顔も見せに行ってねぇのか。薄情なもんだな」

「しょうがねぇ。一人前になるまでは俺の前に現れるなと、きつく言い聞かせちまったからな」

——知らなかった。お彩たちがどれだけ困窮していようとも、訪ねてこないかつての弟子たちを、恩知らずだと胸の内で罵ったこともある。

だが言われてみれば、卯吉は街中で辰五郎を見かけても声をかけようとはせず、後日お彩に近況を尋ねに来た。あれは、辰五郎の言いつけを守っていたからだったのだ。

「はん」と、摺久が大げさに鼻を鳴らす。

「心配しなくてもあんな奴ら、たいした職人にはならねぇよ」

なんだか頭がぼんやりして、お彩にはもう怒る気力もない。黒羽織の裾をなびかせて去ってゆく嫌な男の背中を、ただ黙って見送った。


摺久が散々に掻き回して行った後の宴席には、白けた気配が漂っていた。光の加減が変わったのか、紅葉も鈍く色褪せて見える。お彩は膝先に盃を置き、小さくため息をついた。

「相変わらず、餓鬼みてぇな男だな」

摺久というのは本当に、昔からあんな振る舞いばかりしているのだろう。辰五郎は怒りもせず、頬には懐かしげな笑みさえ滲ませている。

「すまねぇな、辰」

「なぁに、構わねぇ。あいつも息災なようでなによりだ」

あんな男でも、旧知には違いない。久し振りに会えて、嬉しかったようである。

仕切り直しとばかりに、右近が五代目に酌をする。

「摺久はんが言うてはった、牢屋敷が沸くってなんどすか」

「ああ、あれなぁ。あいつは牢屋敷のすぐ隣の小伝馬町一丁目に住んでいて、仕事場も同じなんだが。なんでそんなところに居を構えているか分かるか？」

五代目が話しだすと、辰五郎も訳知り顔に笑った。

伝馬町牢屋敷には、沙汰を待つ江戸中の囚人が詰め込まれている。その敷地と堀で隔てられただけの町が、小伝馬町一丁目。好き好んで住む者は、あまりいない。

「店賃が安いからですか」

江戸の事情には疎い右近の代わりに、お彩が答える。五代目は、「それもあるんだろうが」と首を振った。

「なんでも牢屋敷では、朝五つ（午前八時）に囚人たちがワーと声を上げて騒ぐ日と、騒がねぇ日があるそうだ。その刻限に、牢役人が死罪のあるなしを触れて回るんだと。

なんのご沙汰もないと分かると、囚人たちは一斉に歓声を上げる。それを摺久は、『沸く』と言ってんだ」

ならば囚人たちが沸かない日は、死罪があるということだ。そんなことで人の生き死にを知らされるとは、お彩なら気が滅入りそうである。

「歓声のあるなしを知りたくねぇから、あいつの弟子は誰も朝五つより前には仕事場にやって来ねぇ。だが摺久ときたら、囚人が沸かねぇ日のほうが調子がいいと言って喜んでやがんだ」

「そんな――」

続く言葉を失うほどに、ひどい趣味だ。囚人とはいえ人の死を、日々の糧にするなんて。

「なんと言いますか、外連味の強いお人どすな」

さしもの右近も呆れている。辰五郎が腕を組んで頷いた。

「ああ。あいつは腕はたしかなんだが、その外連味が悪さをするんだ」

先ほど摑んだ摺久の手は、肉厚で指の節が高く、紛れもない摺師の手だった。辰五郎が弟子だった卯吉と平太を預けるくらいなのだから、本当に腕はたしかなのだ。

「摺師の名なんざ、残してどうなるってもんでもなかろうに」

「なんでも奴は、後世まで語り継がれたいらしいぜ」

肩をすくめる。

「馬鹿野郎だな」

摺久には五代目も手を焼かされているのだろう。辰五郎と一緒になって、やれやれと肩をすくめる。

錦絵が絵師だけでなく、版元、彫師、摺師との合作であることは、摺久の言うとおりだ。だが仕上がった錦絵には、絵師の落款印と版元の印しか入っていないことがたいていだ。稀に彫師の印が入ることもあるが、摺師の印とくれば百年に一度の名人でもないかぎり入らないと思っていい。

摺久は、それが気に入らないのだ。どれだけ腕を磨いたところで、その技を駆使した錦絵に己の名は残らない。版元に直訴したところで、印は入れられないと突っぱねられる。

ただでさえ錦絵には、お上が許可したことを示す改印を入れねばならない。摺師の印を入れるなら彫師の印も入れぬわけにはいかず、そんな印ばかりでは絵の趣が損なわれる。版元の言い分はもっともである。

「だから、富士を赤く塗ったりしてしまうのね」

お彩は独りごちるように呟いた。あれは摺久なりに、爪痕を残そうとした結果なのかもしれなかった。

「赤富士は売れに売れているから、永寿堂もなにも言わねぇみたいだがね。あんまり勝手をされても困るんだよ」

　五代目が深々とため息をつく。永寿堂とは、西村屋永寿堂。『凱風快晴』の版元である。

　摺久の身勝手は、芝居にたとえればよく分かる。あれだって裏方の存在は欠かせないが、名前が表に出ないのがあたりまえだ。その扱いが納得できないと言って、無理矢理舞台に上がろうとしているようなもの。とうてい見過ごせることではなかった。

「そこで後摺の色差しを頼みたいっていう、さっきの話に戻るわけだ。なぁ辰、引き受けちゃくれねぇか」

　見えていないと分かっていても、五代目は手を擦り合わせて辰五郎を拝む。初摺と後摺が違うのはお決まりだとしても、あまりにかけ離れているといずれ絵師が怒鳴り込んでくるかもしれない。そういうことが起こる前に、手を打ちたいのだという。

　だが辰五郎は、「いや、それこそ無理だろう」と取り合わなかった。

「目の見えねぇ俺に、色差しが務まるわけがねぇ」

「だからそれは、言ったろう。お彩ちゃんの目を借りりゃあいいんだ」

　お彩が辰五郎の目になって、初摺の絵様や色遣いを伝えてゆく。摺師の娘なのだから、使われているぼかしの種類や技法も分かっている。あとは辰五郎がそれを元にして頭の中で絵を仕上げ、後摺の色を決めていけばいい。

それができればもはや、初摺とは似ても似つかぬ後摺に悩まされることもない。お彩はにわかに意気込んだ。

「いいじゃない、お父つぁん。やりましょうよ！」

「できるか、そんな離れ業が」

「やってみなきゃ分からないじゃない」

「いいや、分かる。げんにお前は紅葉の景色を、ろくすっぽ俺に伝えられなかったじゃねぇか」

そう言われては返す言葉もない。昨今の錦絵はどんどん色鮮やかに、図柄も複雑になってきている。辰五郎の頭の中に新たな絵を増やしてやりたくとも、うまく伝えられるとはかぎらない。

「でもそれは、私の修業不足でしょう。最初は思うようにいかなくても、修練すれば」

「やめとけ。そんな無駄をする暇があるなら、お前は自分の色見立ての技を磨け」

辰五郎だって、愛して止まない錦絵の世界に戻れるかもしれないのに。そのためなら、お彩は助力を惜しまないと言っているのに。けんもほろろに突っぱねられて、頭がぐらぐらと沸いてくる。

「なによ、私はお父つぁんのために——」

勢いに任せ、お彩はその場で膝立ちになった。べつに摑みかかったりはしないのに、右近が後ろから袖を捉える。

「お彩はん、水。お水もらいまひょ。悪酔いしてはるわ」

「いいえ、べつにもう酔ってなんか」

鬱陶しい男だと、腹立ち紛れに振り返る。

そのとたん、目の端にちかちかと星が瞬きだした。しだいにその数が増えてゆき、あっという間に視界を覆う。

嫌だ、なにこれ。

なにかがおかしいと気づくと同時に、お彩は右近に向かってゆっくりと倒れ込んでいった。

四

頭の中が、まだずきずきと疼(うず)く。それでも朝起きたばかりのときの、割れるような痛みに比べればはるかにましだ。頭の高さを変えても耐えられるようになり、お彩は夜具の上に身を起こした。

「ああ、だいぶ顔色がよくなってきたね。はい、これ飲んで」

大家の娘である香乃屋(かのや)のお伊勢(いせ)が、湯気の立つ湯呑みを差し出してくる。熱い湯の中に、潰した梅干しを入れた梅湯である。

「二日酔いのときはこれが効くって、うちのお父つぁんが」

情けない、はじめて飲んだ酒でこの有様だ。辰五郎はすでに仕事に出ており、行きがけにお彩のことを頼んで行ったらしい。「みっともねぇから、お前はもう人前で酒を飲むな」とまで言われてしまった。

「ああ、美味しい」

梅湯の酸味が胸のむかつきを抑え、温もりが指の先にまで巡ってゆく。やっと人心地がついた気がして、お彩はほうっと息をついた。

今日は塚田屋の色見立ての依頼が入っておらず、本当によかったと胸を撫で下ろす。こんなふうに寝込むなんて、何年ぶりだろうか。辰五郎に言われなくとも、二度と酒など飲むものかと心に誓う。

「ところで彩さん、昨日右近さんに負ぶわれて帰ってきたの、覚えてる?」

「——やめて」

そんな興味津々な顔をしなくても、覚えている。山を下りるまでは助けを借りつつどうにか自分の足で歩けたが、そこから先は足腰が立たなくなってしまった。そうなると目の見えぬ辰五郎の背中を借りるわけにもいかず、若くて上背もある右近に頼るほかなかったのである。

「なんだか、ずいぶん気を許してるのね」

「違う、やむを得ずよ」

昨日は気分が悪くてそれどころではなかったが、次に右近と会うときは、いったいどんな顔をすればいいのか。恥ずかしくてたまらないし、厭味を言われるに違いない。できることならもうこのまま、顔を合わせる機会などなければいいのに。

現から目を背けたくて、頭を抱える。とそのとき、入り口の障子戸が外からほとほとと叩かれた。

「はぁい」

お伊勢が代わりに立って、様子を見に行ってくれる。障子戸を薄く開けて相手の顔をたしかめると、「ああ」と大きく頷いた。

「彩さん、右近さんよ」

なんということ。会いたくないと思った矢先にこれである。

「いないって言って」と返事をして、お彩は夜具の中に潜り込んだ。

「ああ、よかった。恩知らずが起きてきやはった」

出された茶を啜りながら、香乃屋の店の間で右近が嫌みったらしい笑みを浮かべている。膝先には見舞いの品らしい団子が、串だけになって残されていた。お彩が身支度を整える間に、右近と香乃屋の面々ですっかり平らげてしまったのだろう。

「あんなに苦労してお彩はんを運んできましたのに、まさか居留守を使われるとは。わて、えろう傷つきましたわ」

いないと叫んだところで、四畳半の棟割り長屋では声が筒抜けだ。ごまかしきれるはずもなく、寝間着姿をあらためる猶予だけはもらって着替えを済ませてきたところである。

「すみません。昨日は本当に、ご迷惑をおかけしました」

頭を下げると、まだ少し視界が揺れる。お伊勢の梅湯のお蔭か、頭痛はどうにか治まっていた。

「ほんになぁ。なんや朝から、腰が痛うて痛うて」

「お彩ちゃん、揉んであげたら？」

見世棚の鬢付け油を並べ直していた香乃屋のおかみさんが、顔を輝かせて振り返る。いいことを思いついたとでも言いたげだ。余計なお世話である。

「どうせやったらわて、おかみさんに揉んでもろたほうが嬉しいわぁ」

「まぁ、うまいこと言って」

もう、勝手にやってくれ。香乃屋の主人が奥から運んできてくれた茶を啜り、お彩は軽くこめかみを揉む。

「それで、具合はようなりましたんか？」

「お蔭様で。お酒なんて、もう二度と飲みません」

「酒飲みは、皆そう言わはりますな」

本気で言っているのに、右近は真面目に取り合ってくれない。昨日のしくじりについては、未来永劫言われ続けることだろう。

「本当に、申し訳なかったと思っているんです」

「そうどすか。お詫びに一生塚田屋に奉公してくれはるんですか」

「言ってないでしょう、そんなことは」

こちらの後ろめたさを盾にとって、あらぬ約束を取りつけようとする。油断も隙もない男である。

「ほんなら百歩譲って、根付を見定めてもらうだけでよしとしまひょ」

「根付？」

「まさか、覚えてはらへんのですか？」

なんのことかと首を傾げると、とたんに右近が見下げた目つきになった。お彩は慌てて、まだぼんやりしている頭の中を引っかき回す。ああそうだ、五代目の根付だ。

昨日の帰り際である。お彩も潰れてしまったことだしこのへんでお開きにしようという段になって、五代目が根付をなくしたことに気がついた。印籠につけていたはずなのに、紐が古くなっていて、ちぎれて落ちてしまったらしい。

「覚えています。珊瑚の根付ですよね」

「まぁ、珊瑚」

横で聞いていたお伊勢が色めき立つ。珊瑚は江戸の女たちの憧れである。け色は洗朱、丸玉の珊瑚だというのだが、五代目と右近とで縁台の周りを探しても、けっきょく見つけられなかった。根付なんて小さなものを山で落としたんじゃまず見つかるまいと、五代目は早々に諦めて引き上げたのだった。

「実はあの後、うっとこの小僧と手代を遣って探させましてな」

こういった小さな恩の積み重ねが、上得意を生むきっかけとなる。塚田屋は、今後も五代目と懇ろなつき合いをしたいようである。

「もしかして、見つかったんですか」

「さぁ、どないやろ。それをお彩はんに判断してもらいたいんですわ」

どういうことだか、言っている意味が分からない。眉をひそめるお彩の眼前に、右近が懐にあった懐紙の包みを差し出した。

その包みが、開かれる。中に入っていたのはまぎれもなく、洗朱の丸玉珊瑚である。

「これだと思いますけど、なにか?」

五代目から聞いた特徴そのままの珊瑚だ。これのなにを、お彩に見定めさせようというのだろう。

「ほな、この色が洗朱なんどすな」

「ええ、そうです」

　赤みの強い、鮮やかな朱である。これだけ大振りで色鮮やかな珊瑚であれば、なかなかの高値に違いない。

「なるほど、分からんもんですな」

　右近の呟きに、お伊勢が「どういうこと？」と尋ね返した。

「いえね、実は染め物に、洗朱という色はないんですわ。せやけど洗柿（あらいがき）ならありましてな。洗われて色が薄うなった柿色のことをいいます」

　そういえば右近は、染め物に丹朱は用いないと言っていた。馴染みのない色だから、洗朱という名前から洗柿のような薄い朱色を頭に思い浮かべていたのだろう。

　後年化学染料が入り染め物にも洗朱という色ができるが、これがまさに黄味がかった薄い朱色。絵の具の洗朱とは別物である。

「錦絵では、違います。朱を絵の具として使うときには、膠水（にかわみず）を少しずつ加えて練り合わせて、表面に浮いてくる黄色い硫黄を捨てるんです。それを何度か繰り返すと、鮮やかな朱の色になる。この作業を『朱を洗う』というんです」

　その工程から取られた色の名だ。いわば絵の具のための色である。五代目の口からとっさに「洗朱」と出たのは、いかにも版元の主らしい説明だった。

「なるほど、一つ利口になりましたわ。色の名だけ言われても、なかなか分からんもんどすな」

呉服屋で人よりは色に詳しいはずの右近が相手でも、こういった齟齬が起きる。色の判別というのはやはり、目に頼るところが大きいのだろう。

一夜明けて頭が冷えた今なら、辰五郎が後摺の色差しを断ったわけも分かる。色の名を聞いただけで頭に色鮮やかな絵を思い描けというのは、どだい無理な話だった。

「せやけどお彩はん、もう一つ困ったことがありましてな」

右近が珊瑚の玉を差し出したまま、眉を八の字にして見せる。これが五代目の珊瑚であることはおそらく間違いがないのだから、早く持って行けばいいものを。まだなにがあるのかと、お彩もつられて息を詰める。

「これたぶん珊瑚やのうて、硝子ですわ」

「えぇっ!」

まさか、そんなことがあるものか。お彩は珊瑚だと思っていたその丸い玉に、うんと鼻先を近づけた。

「いやぁ、ばれちまったか」

五代目が大きく口を開け、からからと笑っている。お彩の手のひらの上にある丸い玉を指し、「いかにも、そりゃあ硝子玉に色を塗っただけのものだ」とあっさり認めた。

地本問屋和泉屋市兵衛の、奥の間である。お彩の隣に控える右近も、拍子抜けしたように笑っている。

ここに来るまでに偽珊瑚の扱いをどうするか、二人で散々迷ったのだ。五代目がこれを本物と思い込んでいるのなら、偽物だと進言することによって面目を潰すことになるかもしれない。しかし後に偽物だと分かった場合、塚田屋が本物とすり替えたのではないかと、あらぬ疑いをかけられても困る。

どうしたものかと話し合った挙句、お彩から進言したほうが角が立たなかろうということになった。やっかいな役目を押しつけられた気がしなくもないが、男というのは女よりも、同じ男に面目を潰されるのを嫌う。右近から知らされるよりは、ましに違いないというわけだ。

ところが五代目は、珊瑚が偽物と知っていた。屈託のない様子で、お彩のぬくもりが移った硝子玉をひょいとつまみ上げる。本物の珊瑚ならば手の中に握っていても、ひやりと冷たいままらしい。

「これは俺が若いころ、嬶ァに買ってやった簪(かんざし)についてた玉なんだ。両国の出店で見つけたもので、色がいいわりに安かったと得意になっていたんだが、先代にはひと目で偽物と見抜かれちまった」

あの先代ならば、真贋(しんがん)など容易に見抜いてしまうだろう。お彩の記憶にあるのは、鋭い光を宿していた双眸(そうぼう)である。目が合うとなにもかも見透かされてしまいそうで、子供ながらに恐ろしいと感じたものだ。

手のひらの上で硝子玉を転がして、五代目は苦々しい笑みを浮かべる。

「あんときゃ、お前の目は節穴かと怒られたねぇ。珊瑚と硝子の区別もつかねぇ奴に、和泉屋市兵衛を継がせてたまるかってさ。物を見る目を養えと、それからしばらく江戸中の小間物屋を巡らされた。ありゃあ、いい修練になったけどな」

その経験から己の怠慢に気づかされた五代目は、戒めとして硝子玉を根付に作り替えてずっと身に着けていたという。物を見る目を生涯磨き続け、怠らぬよう、先代が他界した後も硝子玉はいつだって五代目を見張っていた。

「でもこの根付をなくしちまって、ひょっとしたら先代が文句を言ってんのかなと思ってたところだ。ほら俺が、後摺の色差しのことなんざ言いだしたもんだからさ」

それの、なにがいけないというのだろう。お彩は言葉にして問う代わりに、首を傾げて見せた。

「ようするに、焦ったんだな。うちは今も腕のいい絵師を抱えちゃいるが、誰も彼も先代が見出した絵師の弟子たちだ。金の卵を自分で見つけたことなんざない。どんなに磨いてみたところで、俺は先代ほどの目を持っちゃいねぇからな」

五代目の頬に、睫毛の影が落ちる。吸い込まれるように、手の中の硝子玉を見つめている。

和泉屋市兵衛の主として、四代目と比べられてばかりの人生だ。あれほどの才が、自分にないことは分かっている。それでも五代目は、世間から認められたかった。先代もやらなかったなにか大きなことを、ぜひとも成し遂げてみせよう。

そう考えて思いついたのが、後摺の色を決めてしまうことだったのだ。

「いい思いつきな気がしたんだが、後から考えると小せぇな。てめぇの名を上げたいっていう欲ばかりで、摺久のことを笑えやしねぇ。もっと江戸中の版元が、ワッと沸くようでなきゃ認められやしねぇのによ」

近年では歌川広重や歌川国芳といった絵師が頭角を現しはじめており、和泉屋市兵衛は傍から見れば堅調である。それでも大きすぎる先代の背中は、前を見えづらくするのだろう。

「後摺の色を統一するという試みは、私はいいことだと思いますが」

「そうかね。赤富士を喜んで買う客が、あんなに大勢いるってのに？」

世辞や慰めのつもりはなかったが、鋭く切り返されて言葉に詰まった。五代目はもう後摺のことを蒸し返すつもりはないようで、「無茶を言って悪かったと、辰に謝っといてくれ」と詫びを入れてきた。

「思えば先代は、後摺の色の揺らぎも味だと言って楽しんでいた。なんでもかんでもきっちり決めちまっちゃつまらねぇ。そのくれぇのゆとりは、世の中になきゃいけないんじゃねぇかなぁ」

硝子玉から顔を上げた五代目の目には、やはり鋭い光は宿っていない。その代わり、子供のように澄みきっていた。

芝神明宮の門前は参拝客や買い物客、芝居などの娯楽を求めて集まった客でごった返している。とてもじゃないが、人の流れに逆らっては歩けぬ有様である。

和泉屋市兵衛の店先を出たお彩と右近は、東海道に出るべく人の流れに乗ってじわじわと前に進んでゆく。右近の目立つ京紫は、こんなとき見失わずに済むのが便利である。

「さぁさ、お立ち会い。渡辺綱（わたなべのつな）と妖艶な鬼女の大立ち回り。江戸の土産に、寄ってらっしゃい見てらっしゃい」

人々の頭の向こうから、よく知る声が聞こえてくる。芝居小屋の呼び込みである。

前をゆく右近が、肩越しに振り返った。

「辰五郎はん、よう声が出てはりますな」

よく通る声である。辰五郎はいつの間にか、かつての声の張りを取り戻している。

顔を見ていこうと思っても人混みに紛れ、その場に立ち止まることさえ許されない。

こんなふうに人生も、前に押されてじわりじわりと進んでゆくしかないのだろう。

辰五郎は本当に、錦絵の世界にはもう戻らないつもりなのだろうか。

どうにか東海道に抜けると、西の空は早くも朱に染まりかけている。酒のせいで、一日を無駄にしてしまった。せめて夕餉の飯くらいはちゃんと炊かなければと、お彩は心を入れ替える。

「お彩はん、泉市はんまでつきおうてくれはって、おおきにどす」

「構いません。どうせ日蔭町（ひかげちょう）はすぐそこですから」

右近には、昨日の借りもある。お彩が素っ気なく首を振ると、その狐面がにたりと歪んだ。

「ほなせっかく出てきましたんやから、居酒屋にでも寄って行きまひょか」

それきた。そろそろ厭味の一つも出る頃合いだと思っていた。これだから、この男に弱みを見せるのは嫌なのだ。

「行きません！」と声を強め、お彩は足を大きく前に踏みだした。

流行りの色

一

小僧が持ってきた反物を、畳の上に広げてみる。

御納戸色の、色無垢だ。正面に座る瀬戸物屋の主人の顔と、見比べてみる。

「な、顔映りがいまひとつだろ？」

お彩がなにか言う前に、瀬戸物屋が肉づきのいい顔をしかめて見せた。

塚田屋の、広々とした座敷の一角である。例によって、色見立ての最中であった。

「そんなことはないと思いますが」

否定しつつも、お彩は口元に手を当てて「うーん」と唸る。

御納戸色というのは、藍染めの一つである。俗に藍四十八色というように、染める回数によって多彩な色を生み出せる。その中では、真ん中あたり。緑みを帯びた、暗い青をいう。

藍染めは、着る人を選ばない色だ。濃いも淡いも、日本人の肌によく馴染む。だからこの御納戸色も、瀬戸物屋に似合っていないということはないのだが。

「昔っから御納戸色が好きだったんだが、不惑を過ぎてからどうもしっくりこない気がしてねぇ」

そう、瀬戸物屋の言うとおり、しっくりこない。歳と共に肌の質感も、顔色も変わってゆく。若いころとは、馴染む色が違ってしまうのも道理である。

「もう少し、くすんだ色のほうがお似合いかもしれませんね」

お彩は正直に、思うところを述べてみる。瀬戸物屋は、少し傷ついたように笑った。

「でもそれじゃ、よけいに爺むさくなっちまわないか？」

しまった。言葉選びを間違えた。

くすんだ色と言われると、人は冴えない感じを覚えるようで、あまりよい反応を得られない。それが似合うからといって、その人自身までくすんでいるというわけではないのだが――。

周りを見回しても、口八丁の右近は近くにいない。十一月に入り、正月の晴れ着を求める客で塚田屋の座敷は賑わっている。手代だけでは手が足りず、番頭や右近までが反物を挟んで客と向かい合っていた。

あの男には、頼れない。お彩は口の中で「ええと」と呟き、言葉を探す。

「本当に『爺むさい』方には、御納戸色よりも明るい色をお勧めします。お客様は肌の色艶がいいので、くすんだ色をお召しでもお顔がやつれたようには見えません。むしろお歳に合った、落ち着きが出るのではないかと思ったのですが」

「ふむ」

瀬戸物屋が小さく頷き、顎を撫でる。肌の色艶を褒められて、悪い気はしなかったらしい。

「それじゃ、どういう色がいいんだい？」と、身を乗り出してきた。

よかった。お彩は相手に悟られぬように、安堵の息をつく。

「御納戸色がお好きなら、納戸系の色から選んでみましょうか」

そう言いながら、生地見本帳を瀬戸物屋に向けて開いた。

御納戸色は、宝暦のころから何度も流行りを繰り返してきた人気の色である。それだけに、その色から派生した〇〇納戸という名の色は数多い。お彩はさっそく、帳面に貼られた端布からめぼしいものを挙げてゆく。

「たとえばこちらの、錆御納戸（さびおなんど）、鉄御納戸（てつおなんど）、錆鉄御納戸（さびてつおなんど）、高麗納戸（こうらいなんど）――」

「いや、待て待て。違いが分からん」

しまった、説明が早すぎたか。納戸系の色の変化はわずかずつだから、じっくり見比べてもらったほうがいい。

「失礼しました。錆御納戸は御納戸色を少しくすませたもの、鉄御納戸は鉄色がかった御納戸色、錆鉄御納戸は鉄御納戸をさらに鈍く暗くした色合いで――」

「すごいな、アンタ。これが全部、違う色に見えるのかい？」

瀬戸物屋の問いに、お彩は首を傾げそうになった。すべて違う色なのだから、あたりまえだ。瀬戸物屋には、どう見えているというのだろう。

「こうして並べられたら、なんとなく違うってことは分かるけども。でなきゃ見分けがつかないよ」

そうだろうか。お彩はさらにもう一色、納戸とつく色を示した。

「たしかにこちらの納戸鼠と、錆御納戸は似ていますね」

「これはもう、同じ色だろう」

「いいえ。納戸鼠のほうが錆御納戸より、少し灰みが強いんです」

「ああもう、頭がおかしくなりそうだ！」

瀬戸物屋はすべてを諦めたかのように、天を仰いで嘆いてみせた。


色の感覚は人によって、ずいぶん違う。

色見立ての仕事をするようになって、つくづくそう思わされる。個人差はもちろんあるが、たいていは男より女、年輩者より若者のほうが感覚が鋭い。それ以外にも赤が緑に見えていた、お武家様の例だってある。

人によって好きな色、嫌いな色があるのも、そういった見えかたの差によるものではないだろうか。近ごろは、そんなふうに考えるようになってきた。

ならば客自身が見分けられない色を押しつけるのは、こちらの身勝手でしかない。

納戸系は諦めて、別の色を勧めたほうがいいかもしれない。

たとえば、茶系の色。「四十八茶百鼠」というように、こちらも種類が豊富である。明るい茶よりも、やはり少しくすんだもののほうが似合いそうだ。

そう考えて生地見本帳をめくろうとすると、その前に瀬戸物屋が一つの色を指差した。

「ああでも、高麗納戸はさすがに分かるな。今流行りの色だろう」

高麗納戸は、暗い御納戸色である。これは役者色で、四世松本幸四郎が「鈴ヶ森」で演じた幡随院長兵衛の合羽に用いたことで評判を呼んだ。

だがこの色が流行色になったのは、現在活躍中の五世松本幸四郎に合羽の色が受け継がれてからのことである。「鼻高幸四郎」と呼ばれるほど高い鼻と、鋭い目つきが芸に凄みを与え、実悪（大物の敵役）では三都随一という人気役者。同じく合羽の柄であった格子縞も、高麗屋格子と名づけられ、もてはやされている。高麗屋は、幸四郎の屋号である。

「ええ、そうです。同じ色の反物をお出ししましょうか？」

「いや、いいや。流行りすぎて、若い娘まで着ているでしょう。私だって幸四郎の芸は好きだが、同じ色を纏いたいっていう気持ちはちょっと分からないねぇ」

瀬戸物屋は、新しい流行りに飛びつく質ではないらしい。本当に分からないようで、ううんと首を捻っている。

高麗納戸も、お気に召さない。とくれば、やはり茶系か。

お彩は生地見本帳に目を落とし、ああそうだと控えめに膝を打つ。茶系に分類された中にも、納戸とつく名の色がある。

「それでは、こういう色はいかがです？」

素早く帳面をめくり、目当ての色を見つけて指し示す。瀬戸物屋が、ぐっと顔を寄せてきた。

「御納戸茶です」

これまで紹介してきた納戸系の色が暗さやくすみ具合で差を出しているのに対し、御納戸茶は茶がかった御納戸色だ。青みが抑えられているぶん、他よりも見分けやすい。

お彩は端布と瀬戸物屋の顔を見比べて、やっぱりこれだと頷いた。

「さっきまでの色はどれも少し灰がかっていましたが、お客様は血色がよろしいので、茶がかった色のほうがお似合いかもしれません」

「おや、そうかい。私には茶色が合うのかい？」

「茶色といっても、赤みの強いものや明るいものよりは、暗めのものが。元々お客様にお似合いだった御納戸色と茶色が合わさったような御納戸茶は、顔映りがいいと思います」

本人がいる手前「血色がいい」と言い表してはいるが、瀬戸物屋はどちらかといえば赤ら顔だ。赤みの強い色や明るい色を纏うと、よけいに顔が赤く見えてしまう。

「そういうものかい」と、瀬戸物屋はまだ半信半疑である。

「反物で見ていただくと、分かりやすいと思います。すみません、ちょっと」

実際に反物を肩に当てて、顔映りを比べてみれば一目瞭然だ。お彩はちょうど通りかかった小僧を呼び止めて、御納戸茶と納戸鼠、それから赤みが強い江戸茶の反物を持ってきてほしいと頼む。

その間に瀬戸物屋は、煙草盆を引き寄せてひと息ついた。

「こうして、似合う色を見立ててくれるのはありがたいね。手代さんたちもいろいろと勧めちゃくれるけど、あっちも商売だから、あれもこれもお似合いですよとくるだろう。売りたいものが先にあるから、なんだか押しつけられてるような気になるんだよねぇ」

その気持ちは、お彩にも分かる。店としてはその季節のうちに売り切ってしまいたい品や、特に利益が出やすい品もある。それらを売らねばならない奉公人は、客のことばかり考えてはいられない。

だからこそ右近は、お彩を奉公人という立場には据えなかったのだろう。店が取りこぼしがちな客の要望を、丁寧に掬い上げてゆく。そんな仕事をお彩自身も、面白く感じはじめていた。

そうこうするうちに、小僧が反物を三巻抱えて戻ってくる。まだ十二かそこらの子供である。それでも畳にきちんと膝をつき、反物を恭しく差し出してきた。

その中の一巻を見て、お彩は「あら」と声を上げる。

「違いますよ、これは錆御納戸。納戸鼠じゃありません」

「えっ。すみません」

小僧が驚いたように目を見開く。奉公に上がってからまだ日も浅く、見分けがつかなかったようである。

「でも顔映りを見るだけですから、これでも大丈夫です。ありがとうございます」

すぐ取り替えてまいりますと焦る小僧を、手を突き出して宥める。勉強不足を注意するのは、お彩の役目ではない。

「呉服屋の小僧さんでも、やっぱりこの二色は見分けがつかないんだねぇ」

小僧が奥に下がってから、瀬戸物屋が己の胸元を撫でる。自分が特別色に鈍いわけではないと分かり、安心したようだった。

二

瀬戸物屋は、お彩が勧めた御納戸茶の反物を買っていった。

肩に布を当てて鏡を手渡すと、赤らんだ頬に感心を滲ませ、「ううむ」と唸ったものである。

江戸茶だと、やはり顔の赤みが目立ってしまう。錆御納戸は似合っていないわけではないが、いささか顔が浮いて見える。ところが御納戸茶は、「これだ！」と手を打ちたくなるほど顔によく馴染んでいた。

瀬戸物屋もまた、御納戸茶をいたく気に入ったらしい。

「なるほど、これは買わないわけにはいかないねぇ」

そう言って、角度を変えて何度も鏡に映していた。

よかった、今日は客の意に適う色選びができた。それもこれも、瀬戸物屋がお彩の言うことを真面目に聞いてくれるお人だったからだ。客の中には自分で色見立てを頼んでおきながら、こちらの意見にまったく耳を貸さない者もいる。勧めた色を素直に喜んでもらえると、お彩も満たされた気持ちになれた。

まだ昼前だが、本日の色見立ての依頼はこれで終わり。畳の上に広げてあった反物は、瀬戸物屋を見送りに出ているうちに小僧が巻き直して片づけてくれたらしい。

周りを見回してみるも、手が空いている者は一人もおらず、皆忙しそうだ。それなのに、店の手代よりおそらくお彩のほうが給金が高い。右近には色見立ての客以外の相手はしなくていいと言われているが、だんだん申し訳なくなってきた。

「ぼんやり突っ立っていないで、暇なら他の客の用向きを聞いてくださいよ」

反物をいくつも胸に抱えた番頭が、すれ違いざまに文句をつけてゆく。顎先で示された先に目を向けると、出された茶を啜りながら年輩の夫婦者が接客の順番を待っていた。

「お待たせしてすみません。本日は、どういったご用件で？」

お彩は詫びを口にして、客の前に膝をつく。身なりがよく、穏やかそうなご夫婦である。女が出しゃばってきたことに亭主は驚いたようだが、お内儀のほうはやんわりと微笑んだ。

「ええ、孫の晴れ着を見繕っていただきたくて」

肝心の孫は、連れて来ていないようだ。当人がいないと見立てができない。

戸惑っていると、右近が間に割り込んできた。さっきまで相手をしていた客は、ちょうど帰ったようである。

「お彩はん、ここはわてが。あんさんは奥でお昼を食べてきなはれ」

「でも、番頭さんが」

「あの人の言うことは、聞かんでよろし」

自分の店の番頭なのに、ずいぶんな言い様だ。しかし右近にそう言われては、引き下がるしかない。お彩は「失礼します」と客に頭を下げてから、店の奥の内所に向かった。

朝のうちから色見立ての依頼が入っているときは、お彩の分も昼餉が用意されている。

しかも奉公人たちより、お菜が多い。今日もお櫃に入った飯、味噌汁、大根と油揚げの煮物に沢庵、そのほかに鯵の一夜干しがついていた。

着替えに使わせてもらっている奥の間で、塚田屋のお内儀であるお春と食べる。これだけの待遇に見合った働きができているのだろうかと、だんだん不安になってくる。

「お大根、お口に合いまへんどしたか?」

お春に尋ねられ、箸が止まっていたことに気がついた。お彩は慌てて首を振る。

「すみません、少し考えごとをしていて」

黄色が似合うお春は、今日も黄朽葉色の小紋を身に纏っていた。まるで晩秋の柔らかな日差しのように、ふわりと微笑む。

「うちは上方の味つけどすから、合わへんかったら遠慮のう言うてくださいね」

「いいえ、とても美味しいです」

塚田屋は、番頭以外はみな京の出だ。その舌に合うように、台所方も上方から連れてきている。

醤油の色がそのまま染み込んだような煮物を食べて育ったお彩は、はじめこそ料理の色の薄さに味がついていないのではないかと訝ったものだが、これはこれで美味しかった。昆布の出汁がよく染みており、素材の上品な甘さが引き立っている。

「それならええのやけども。番頭はんは、いつも外へ食べに行かはりますから」

江戸っ子の番頭には、この旨さが分からないらしい。融通のきかぬ舌の持ち主である。

「お彩はん、ちょっとよろしいか」

柔らかく煮られた大根を箸で崩していると、縁側から声がかかった。返事をすると同時に障子が開き、右近が顔を覗かせる。

「ああ、お春はんもいやはりましたか。お食事中にすんまへん」

「うちのことは、気にせいでもよろしおす」

お春に気遣い無用と言われ、右近が部屋の中に入ってきた。狐面のような笑みを顔に貼りつけてはいるが、いつもよりさらに作り物という感じが強い。と思っていたら、

「お彩はん、あきまへんえ」と注意を受けた。

「あんさんには、色見立ての客のお相手だけをお願いしてましたやろ。勝手をされたら困りますわ」

先ほどの、老夫婦に声をかけたのがまずかったという。だがそれは、お彩だけが悪いのだろうか。

「あのときは、手が空いているのが私だけだったので――」

「それは、うちの手代の仕事どす。誰彼構わず色見立てをしていったら、あんさんの値打ちが低うなりますやろ」

「値打ち」と、お彩は口の中で呟いた。そんなものを、持ち合わせた覚えはないのだが。

「塚田屋のお客なら、みな等しくお彩はんの見立てを受けはったらええんやないかと、うちなんかは思いますけどなぁ」

お春にも分からなかったらしく、小さく首を傾げてみせる。

右近は「違いますねや」と頭を振った。

「客は平等を喜びまへん。お彩はんには前も言いましたやろ。特に金を持ってはるお人は贔屓をされたがります。せやから色見立てというのは、特別なもんやないとあきまへんのや」

特別なものと言われても、お彩にはぴんとこない。納得していないのを見抜かれたか、右近はさらに先を続けた。

「そもそも客に等しく色見立てをする気なら、お彩はんには二六時中塚田屋にいてもらわんと。それを嫌がったのは、あんさんどすえ」

その件を持ち出されては、なにも言い返せない。家のことや辰五郎の世話を理由に、毎日来てほしいという右近の求めを断ったのはお彩だった。

「よろしいな。番頭はんにも、きつう言い聞かしときますよって。あのお人はまだ、色見立ての値打ちが分かってまへんのや」

お彩にだって、分かっているとは言いがたい。それゆえに「はぁ」という、気の抜けたような返事しかできなかった。

「ほな、お食事を続けとくれやす。せや、明後日も色見立ての依頼が入ってますけども、わて旦那衆の寄り合いでおりませんのや。お一人でも大丈夫どすか？」

右近が言質は取ったとばかりに立ち上がる。兄の代わりに塚田屋を支えているだけでなく、寄り合いにまで顔を出しているとは。店主の刈安(かりやす)は、どこに行ったのか今日も姿が見えなかった。

明後日の色見立ても、客が店に出向いてくれる手筈になっている。一人で客先に向かうとなると荷が重いが、それならば負担は軽い。

「大丈夫です」と、お彩は頷いた。

昼餉を終えれば、あとは着替えて帰るだけだ。

その前にと厠(かわや)に向かい、戻る途中で「お彩はん」と呼び止められた。

振り返ってみれば、手代の正吉(しょうきち)である。丸みの残る頬をほんのり紅潮させて、嬉しそうに駆け寄ってきた。

昼時といえど客はひっきりなしに来るから、小僧や手代は交代で昼餉を取る。正吉は、飯を食べ終えたばかりのようだ。お彩の前で立ち止まると、両手を胸の前で握り合わせた。

「先ほどの色見立ても、お見事でした」

たしか正吉は、お彩の近くで別の客の相手をしていたのだっけ。自分の客の話にこそ耳を傾けるべきだろうに、色見立ての内容が気になってしかたがなかったらしい。

「なぜあのお客様には、御納戸茶が似合うと思わはったんですか」

そう尋ねられて、お彩は困ったと眉を寄せた。

「それは、顔の赤みが強い方だったので」

「ええ、せやから赤みのある色や明るい色が似合わへんゆうことは、よう分かりました。でも錆御納戸より、お彩はんが勧めた御納戸茶のほうがお似合いやったんはなんでです？」

なぜだろう。ますます眉間に力が入る。

特別に色の勉強をしたわけでないお彩は、こういった質問をされても系統だった説明ができなかった。摺師(すりし)の娘として生まれたときから色鮮やかな錦絵や絵の具に囲まれて育ち、感覚に刷り込まれてしまった勘である。「だって似合うと思ったから」では、答えにならない。

この感覚を、他者にどう伝えればいいのだろう。言葉を探して黙り込んでいるうちに、正吉の頬からだんだん赤みが引いてゆく。

また、失望させてしまった。鳩尾(みぞおち)に、冷たい汗が流れ落ちる。

お彩の色を見る目は、右近だけでなく塚田屋の奉公人からも求められていた。上方から下ってきた彼らには、江戸っ子の好みが分からない。ところが頼みの綱であった江戸者の番頭は頭が固く、客の容貌や好みに沿った色選びができないときている。だからこそ、正吉をはじめとする奉公人の、お彩に対する期待は高かった。「手前どもをよろしゅうご指導くださいませ」と、頭まで下げられた。

それなのに、この体たらくである。

奉公人たちの質問に答えられず、期待が萎んでゆく表情を、この三月ほどのうちに何度目にしたことだろう。右近が言っていたような値打ちなど、自分にはない。その事実を、思い知らされる。

どうしたものかと視線をさまよわせていると、こちらに向かって歩いてくる番頭と目が合った。鷲鼻が目立つ厳めしい顔つきが、さらに固い。正吉も気がついて、あっと首をすくめた。

「こんな所で立ち話か。正吉、飯が終わったなら早く店に戻りなさい」

「はい、すみません。では失礼します」

正吉が腰を低くして、逃げるように去ってゆく。それから番頭は、あらためてお彩を見下ろした。

冷ややかな眼差しだ。この人に、嫌われていることは知っている。呉服のごの字も知らない素人が好待遇で迎え入れられているのだから、当然のことだ。番頭に睨まれると、お彩はいつも申し訳ない気持ちになる。

「卯吉という人を知っていますか」

唐突に、そう尋ねられた。番頭の口からその名が出てくるとは思いもよらず、お彩はぽかんとしてしまう。

「店に来て、あなたを出せと騒いでいます。迷惑なので、早くどうにかしてください」

「ええっ！」

どうして、卯吉が。お彩は慌てて土間に下り、下駄をつっかける。店との境の暖簾に駆け寄ってみると、誰かに詰め寄っているらしい男の声が聞こえてきた。

「だから、なんでてめぇがここにいやがる。お彩さんをどうするつもりだ！」

「そない大きい声出さんでも、聞こえますよって。ちょっと外へ出てお話ししましひょ。ええと、馬吉はんどしたっけ」

「卯吉だ、卯吉！」

「牛吉はん？」

「てめぇ、わざとだろ！」

ああ、この余裕のない声。そして右近に弄ばれている、この感じ。

お彩は息を切らし、店の土間に走り出る。右近に摑みかからんばかりだった男が、女物の下駄の音に気づいて顔を上げた。

間違いなく、お彩の元許嫁の卯吉だった。

三

疲れた。重たい体をどうにか動かし、帰路につく。

曇り空ゆえ目に映るものがすべて灰がかっていて、お彩の気分をいっそう沈ませる。

まさか卯吉が、塚田屋を訪ねてくるなんて。

揉めている男二人の間に割り込んだお彩を見て、卯吉は「なんだ、その格好は！」と声を張り上げたものである。

化粧っけのなかったお彩が顔を作り、絹の着物などを着ているのだから無理もない。だがすでになんの縁もないはずの卯吉に、そんなことを言われる筋合いだってなかった。

すぐさま追い返してやりたかったが、これ以上店に迷惑をかけるわけにいかない。

「来て」と言って袖を引くと、卯吉は案外素直についてきた。

店を出て本石町の通りをまっすぐに歩き、千代田のお城のお堀端で手を離す。水辺を求めて飛び交う鷗が、お彩たちを冷やかすように鳴いていた。

寒風が耳元を吹き過ぎてゆく。それでもお彩は、寒いとは思わなかった。腹の底が、ぐつぐつと煮えていた。

「なんの用です」

「なんのって、おめぇ」

卯吉が語ったところによると、お彩が塚田屋にいると知ったのは、今朝のことらしい。親方である摺久が、唐突に「ああ、そういやぁ」と卯吉を呼び止めてこう言った。「お前の許嫁だった女、本石町二丁目の塚田屋って呉服屋で働いてるぞ」と。

先月の紅葉狩りの際にまみえた、人相の悪い男の顔が頭に浮かぶ。ただそれだけで、腹が煮える。あれから十日ほども経っているのに、今ごろ思い出すとはどういった料簡だ。

いっそのこと、すっかり忘れていてくれたらよかったのに。下手に思い出すものだから、卯吉が気になって外回りのついでに様子を見に来てしまった。生憎なことに、摺久の家がある小伝馬町一丁目から本石町までは、隣町と言ってもいいほどに近かった。

「だとしても、なぜ来るんです」

「そりゃあだって、心配だからよ」

心配なら、三年前にしてほしかった。辰五郎のほうから弟子を突き放したらしいと分かったものの、馬鹿正直に連絡を断たなくてもよかったろうに。辰五郎が立ち直ってきた今になって心配だと言われても、なんのことだと笑ってしまう。

「本当は、声をかけるつもりはなかったんだ。店の小僧から、お彩さんの消息なりが聞けりゃそれでよかった。でもよ、暖簾の隙間から覗いてみたら、あいつがいやがるじゃねぇか」

「あいつ？」

「あのいけ好かねぇ京男だよ！」

そう言って、卯吉は握りしめた手をわなわなと震わせた。お彩が知るかぎり右近と卯吉はこれまでに二度しか顔を合わせていないのに、恨みを抱くには充分な回数だったようだ。右近の顔を見たとたん頭に血が昇ってしまい、先ほどの騒ぎになったというわけである。

「なんだありゃ、あいつの店か？」

卯吉が勢いよく上に跳ねている眉を、なおいっそう吊り上げる。答える義理はないので黙っていたら、それを肯定と受け取ったらしい。絵の具のこびりついた手が伸びてきて、お彩の両肩を摑み、揺さぶった。

「大丈夫か。あの男に無体を働かれちゃいないか」

「やめて。放してください」

「だっておかしいじゃねぇか。女中をそんなに着飾らせてよぉ！」

卯吉は、大きな思い違いをしていた。女が商家で働いていると聞かされれば、女中と思うのがまぁ普通か。摺久も、半端な伝えかたをしてくれたものである。

「女中じゃありません。私の仕事は、色見立てです」

「色見立て？」

なんだそりゃと首を傾げてしまった卯吉に、お彩は仕事の内容をかいつまんで説明した。依頼のあった客の着物の色を見立てていること、塚田屋で働いてはいるが奉公人ではないこと、化粧も絹の着物もあくまで接客用だということ。

すべて話し終えても、卯吉の顔から訝しげな色が去ることはなかった。

「よく分からねぇが、そんなものが金になるのか？」

お彩にだって、なぜこれしきのことに高い給金が支払われているのか分からない。言葉に詰まっていたら、卯吉がまたもや顔を近づけてきた。

「あの男に、騙されてんじゃねぇのか。やめとけ、あんなのに関わっちゃいけねぇ」

べつに右近のことを、心から信用しているわけではない。だが卯吉にそう言われると、無性に腹が立ってきた。あれは胡散臭い男だが、ただ一つたしかな恩がある。お彩は肩にかけられた卯吉の手を払った。

「少なくとも、酒浸りだったお父つぁんを真人間に戻してくれたのは、あの人よ」

あなたはなにも、してくれなかった。そんな思いを込めて、睨みつける。卯吉の腕が力を失い、体の横にだらりと垂れ下がった。

「分かったなら、もう二度と来ないで。次は摺久さんに言いつけます」

外回りのついでの寄り道を、あの外連味あふれる男は怒るだろうか。それとも面白がるだろうか。案外こうなることが分かっていて、弟子を焚きつけたのかもしれない。

どちらにせよ、卯吉としては知られたくないようだ。頬を引きつらせ、「すまなかった」と謝った。お彩にかけた迷惑を顧みるより、保身が先に立つ。けっきょくは、そういう性質なのだろう。

「お引き取りください」

感情のこもらない声で告げてやると、卯吉はもう一度頭を下げ、肩を縮めて去って行った。この人の背中はこんなにも小さかったっけ。そう思うと、少し悲しかった。

昔は、頼りになるお兄さんだと思ってたのにな。

辰五郎の弟子の中では歳の割に落ち着いていて、要領がいい。お彩に対してもいつも優しく、動じたところを見せなかった。

再会してからの卯吉の印象とは、ずいぶん違う。彼が変わったのか、それともお彩が歳を重ねたからなのか。十代の娘の恋というのは、淡い幻想の上に成り立っているのかもしれない。

化粧を落とし、普段着の木綿に着替えた格好で、夕餉のお菜になる小松菜を買い求める。実の父の糞尿の世話までした身には、もはや幻想など下りてはこない。どんなに疲れていても、生きてゆくためにきりきりと動き回らなければ。

室町一丁目の青物市を後にして、日本橋川を渡ってゆく。川面も空の色を映し、どんよりしている。色でいうなら銀鼠だ。憂いを吹き飛ばすような冴えた色を目にしたいこんなときは、江戸っ子の渋好みが恨めしい。すれ違う人はみな、粋とされる地味色を纏っている。

せめて小松菜の緑でも見て、心を慰めよう。鬱々とした気分で歩を進め、南伝馬町に差しかかったとき、お彩はある種の予感に導かれて顔を上げた。

目の中に、冴え冴えとした色が飛び込んでくる。絵草紙屋、初音堂の店先だ。店頭に飾られた一枚の錦絵に、お彩は釘づけになっていた。

その絵は色鮮やかな錦絵の中で、特に目立った色遣いをしているわけではない。見事な曲線を描いた橋が真ん中にどんと配されて、両岸と遠景に少し緑が施されているだけ。しかし雲のたなびく空と水面のぼかしが見事で、画面下中央に描かれた舟にも妙な存在感がある。

美しい。この世の理のすべてが、小さな絵の中に閉じ込められている気さえする。朝通ったときにはまだ、こんな絵は飾られていなかった。

「おやお彩さん、お帰りかい」

馴染みの主人が、奥から出てきた。お彩は「こここ、これ！」と、件の絵を指差す。

興奮のあまり、舌がもつれてしまった。

「ああ、さっき入ってきたから、飾ったんだよ」

気持ちを落ち着かせ、お彩は題字に目を走らせる。『富嶽三十六景　深川万年橋下』、落款は北斎改為一筆となっている。つまり、葛飾北斎だ。

『赤富士』という異名をつけられてしまった『凱風快晴』と同じ、揃物のうちの一枚だった。画面いっぱいに富士が鎮座していた『凱風快晴』とは違い、こちらの富士は橋桁の間にちんまりと描かれている。よく見れば先ほど存在感があると思った舟の舳先が富士を指しており、視線が自然とその山容に導かれてゆくのである。そんな絵師の企みを知り、お彩は「ああ」と吐息した。

「これ、ください」

「はいよ。お彩さんはそう言うと思った」

銭と引き替えに手渡された錦絵を、改めて手元で広げてみる。塚田屋で感じた不甲斐なさも、卯吉によってもたらされたやるせなさも、見事に吹き飛んでしまった。

北斎翁は、すでに齢七十を越したはず。それでも画技は衰えるどころか、さらなる高みへと昇っている。二十代半ばで歳を重ねてしまったなどと考えていた自分が、急に恥ずかしくなってきた。

人としても、色見立ての目も、まだまだ雛っこ。塚田屋の手代たちを指南しようだなんて、おこがましいくらいである。期待に添えなかったと落ち込む暇があるのなら、己を磨かねば。悔しいが卯吉だって、摺久の下で腕を磨いているに違いないのだから。

「ありがとう、おじさん。今日はこの絵を抱いて寝るわ」

「そうかい、皺にならないよう気をつけな」

初音堂の主人に見送られ、お彩も手を振って自宅へ向かう。足取りは、いくぶん軽くなっていた。

四

二日後お彩は錦絵の束を胸に抱き、塚田屋へと出向いた。

何度見ても北斎翁の錦絵は物の配置や色遣いに無駄がなく、厭(あ)きるということがない。そこでお彩は辰五郎に聞いてみたのだ。絵師はどうやって、絵の感覚を養うのだろうかと。

「まぁ、絵手本だな」と、辰五郎は答えた。

本絵の中心である狩野派では師から与えられた粉本(ふんぽん)を頼りに、古画の模写を徹底してやらせるという。狩野派をはじめとした絵師の絵手本が刊行されるようになると、その姿勢が諸派に広まり、修練の基本となっていったわけである。

「なるほど」

名画と呼ばれるものがなぜ見る者を心地よくさせるのか、それを知るためには実際に見て、手を動かし、配置の妙や色遣いを体に叩き込んでゆくしかないのだろう。そうやって、言葉では説明できない感覚を養ってゆく。

この手法は、色見立てにも応用できるのではないだろうか。お彩秘蔵の錦絵で、色の組み合わせを学んでもらう。着物の色柄が細かく描き込まれた美人画や役者絵は、特にうってつけと思われた。

惜しむらくは辰五郎が若いころから集めてきた古い錦絵の数々が、火事で焼けてしまったことだ。あれが手元に残っていれば、百年以上も前からの着物の流行りを目で追えたのに。

残念がっていると、辰五郎に笑われた。

「なんだおめぇ。嫌々はじめたわりには、ずいぶん熱心じゃねぇか」

自分でも、なぜこんなことに頭を悩ませているのか不思議だった。だけど、色について学びたいという正吉たちの気持ちは本物だ。力足らずのお彩でも、少しくらいは期待に応えたいと思ってしまった。

いつものように塚田屋の裏口から入り、奥の間で着替えと化粧を済ませる。お春はお茶だかお花だかの稽古で留守にしており、一人で顔を作ったのであまりうまくはできなかった。

「あ、正吉さん」

奥の間を後にして、店との間に挟まっている台所まで行くと、ちょうど正吉と行き合った。常日頃はあちらから「お彩はん」と目を輝かせて寄ってくるが、今日は逆だ。お彩は弾んだ声で告げた。

「色見立ての参考になればと、錦絵を持ってきたんです。最近のものしかないんですが、よろしかったら後で――」

「はぁ、ありがとうございます」

ところが正吉はお彩がみなまで言い終わらぬうちに軽く頭を下げ、そそくさと店の間に出て行った。てっきり喜んでもらえるものと思っていたのに、拍子抜けだ。

きっと、忙しかったのね。

相手の都合も考えず、声をかけたのがいけなかった。暖簾を分けて店に一歩踏み出してみると、やはり大賑わいで、お茶出しや品出しの小僧が走り回っている。正吉はすでに客の前に膝をつき、反物を広げて見せていた。

店内をざっと見回して、目障りな京紫がちらつかないことに気づく。そういえば右近は旦那衆の寄り合いだっけと、一昨日言われたことを思い出した。

やっぱり、おかしい。

正吉だけでなく、他の奉公人もなぜかお彩にそっけない。

本日の色見立ての依頼人は、蠟燭屋（ろうそくや）のお内儀とその娘だ。二人揃って正月の初茶湯（はっちゃのゆ）の着物を誂（あつら）えたいと言うので、少し華やかなほうがよかろうと、娘には一斤染（いっこんぞめ）、お内儀には薄色を選んだまではよかったのだが。

反物を持ってきてもらおうと小僧を呼んでも、誰も来ない。そういえば客へのお茶出しも、皆忙しそうだったからお彩が自らしたのだった。

しかしお茶と違って反物は、店の者でないと勝手が分からない。反物の芯をこちらに向けて棚に並べられており、色合いごとならまだいいのだが、産地や技法で分けているらしく、あっちもこっちもと目が滑る。

ええっと、これは紬（つむぎ）で、あれは大紋の型染めか。

しかたなく自分で立って棚を見て回るも、この色だと思って手に取ると、初茶湯向きの生地ではなかったりする。できれば色無地か、友禅の裾模様がいいのだが――。

こうやって迷っているうちに、客をいたずらに待たせてしまう。せめてお茶のお代わりを出しておくべきだったか。要領の悪い店だと、お彩のせいで愛想を尽かされてしまったらどうしよう。

焦れば焦るほど、目当てのものが見つからない。ちょうど反物を取りに来た小僧がいたので「あの」と声をかけてみたが、目も合わせず逃げるように去って行った。明らかに、避けられている。

どうして、こんなことになってしまったのだろう。自分になにか、至らぬところがあったのか。もちろんないとは言えないが、小僧や手代の態度からすると、よっぽどのことだ。

後でわけを、聞いてみないと。今はそれより、反物だ。早く、早くしないと——。

「どないしたん」

耳元で囁かれ、思いも寄らぬ近さにお彩は飛び上がった。

久し振りに聞く声だ。まさかこんなところにいるはずがとおそるおそる目を転じてみれば、薄暗い中にぎょろりとした眼(まなこ)が光った。

「旦那様——」

めったに在宅していない店主でも、そう呼ぶのが相応(ふさわ)しいのだろう。それが店に出てくるとは、どういった風の吹き回しだ。

改心したのかと思いきや、吐く息は酒臭い。うっと息を詰めたお彩には頓着せず、刈安はにやにやと笑っている。

「あんさんいつから呉服やなく、油を売るようになったんや。感心しまへんなぁ」

相変わらず、人を食ったような喋りかたをする男だ。お彩はむっとして、言い返す。

「怠けているんじゃありません。反物を探しているんです」

「反物？　そんなもんは小僧の仕事やろ」

「そうですけど——」

その先が、続かない。小僧たちに避けられている理由が、分からないのだ。

刈安は小首を傾げると、唐突に「おおい！」と声を張り上げた。座敷にいる者の大半が振り返るほどの音量だ。

「はっ、旦那様！」

さっそく番頭が立ち上がり、相手をしていた客に断りを入れて駆け寄ってくる。こちらも刈安が帰っていることは知らなかったようである。

「なにか、不手際でもございましたか」

「不手際もなんも、小僧が仕事をしとらんのはどういうことや」

「まさかまさか。皆真面目に——」

「そんならなんで、この人がここにおるねや」

番頭が忌々しげにお彩を見遣る。それから諦めたように表情を改め、「どの反物が入り用ですか」と聞いてきた。

「初茶湯用の、一斤染と薄色の反物を」

お彩が答えるとさっと棚を見回して、反物を四巻抜き出した。それぞれの色につき、色無地と裾模様が一巻ずつ。お彩はそれらを胸に抱え、「ありがとうございます」と礼を言った。

急いで客の元に戻らねば。気が急くお彩を、刈安が呼び止める。

「お彩はん、それから番頭はんも、仕事が一段落ついたら奥の間な」

なぜか呼び出しを喰らってしまった。刈安に対して「はい」と神妙に頷いてみせた番頭が、接客に戻る前にお彩をひと睨みしていった。

五

「今日ならけったくそ悪い奴はおらんやろ思て帰ってきてみたら、なにをしとんのやおたくらは」

刈安がすぱりすぱりと煙草を吹かしながら、腹を掻く。今日も深緑の着物なのは、右近と同じく自分の色を決めているからなのだろうか。

大店の主とは思えぬ威厳のなさだが、少なくとも旦那衆の寄り合いがあることは知っていたらしい。代わりに出席するだろう右近の不在を狙って、こうして帰ってきたというわけだ。

「わけを聞かせてもらおか。お彩はんあんた、うちの小僧に舐められとるんか？」

言いづらいことを、なんの躊躇もなく尋ねてくる。お彩は静かに首を振った。

「一昨日の色見立ての日までは、特になにも」

「今日になって急に、言うこときかんようになったんか」

「忙しくて、手が回らなかっただけかもしれません」

「忙しいゆうても。なぁ、番頭はん」

塚田屋の、奥の間である。脇息に凭れる刈安の前に、お彩と番頭が並んで座っていた。

番頭が、畳に両手をつく。

「小僧や手代が悪いんじゃありません。ひとえにお彩さんの、人望のなさが生んだ事態でして」

あんまりな言い様だ。お彩は驚いて目を見開いた。

「どういうことや。あいつらは、お彩はんが通ってくるんを喜んでたんやないのんか」

「はじめは、そうでした。色について学べると、頼みにしていたんです。それなのに三月近く経っても、お彩さんはなにも教えてくれない。その不満が、積み重なっていったのだと思われます」

そうだったのか――。お彩は膝の上でぐっと手を握る。身に覚えのあることだし、申し訳ないとも思っていた。それが不満だったと言われたら、頭を垂れるしかない。

「ほな、仕事を怠けてたんはお彩はんのほうということか」

でも刈安の言うように、手を抜いていたわけではない。

「違います。人にものを教えたことがないので、どうしたものかと悩んでいただけです。だから、これを持ってきたんです」

着替えに使わせてもらっている部屋だから、隅のほうにお彩の荷物が置いてある。素早く立って紙の束を摑み、刈安の前に差し出した。

刈安はそれを手に取り、一枚一枚めくってゆく。五枚ほど見たところで、呆れたように首を振った。

「なんで錦絵やねん。絵師でも育てるつもりなんか」

「私自身が、錦絵をたくさん見て色の感覚を養ってきたからです。ここにあるのは最近のものばかりですが、古い絵も集めていけば色の流行りが追えます」

「ふぅん。なんや、遠回りやなぁ」

興味をなくしたように、刈安が紙の束から手を離す。なけなしの金で買い集めた、大切な錦絵なのに。ばさばさと散らばったそれを、お彩は慌てて拾ってゆく。

その隙に、番頭はさらに刈安に向かって言い募った。

「それにお彩さんは、客の面前で小僧を叱りつけたといいます。他にも素性の怪しげな男とつき合っていたりと、品行がよろしくない。奉公人たちに愛想を尽かされるのも道理です」

先ほどの訴えについては、お彩にだって文句は言えない。だがこれに関しては、でたらめもいいところだ。

「へぇ、あんさんに男っけがあったんか」

刈安が馬鹿にしたように笑うものだから、頬がカッと熱くなった。

「そんなのは、ありません」

「じゃあ一昨日のはなんです。店に乗り込んできて、大騒ぎをして」

番頭が、軽蔑したようにこちらを見る。お彩はその目を、まっすぐに見返した。

「お騒がせしたのは、申し訳ないと思っています。もう二度と来ないようにと、言い含めておきました」

「ほほう。その男とは、どういう間柄なんや?」

こんな興味本位の質問に、答えなければいけないのだろうか。許嫁だった男だが、辰五郎が光を失ったのを機に去られてしまったのだと。すっかり縁が切れたものと思っていたのに、最近になって周りをうろつくようになったのだと?

正直に答えたところで、刈安を面白がらせるだけだ。そもそもなぜこんなところで、私事を開陳(かいちん)しなければならないのか。

「答えたくありません」

お彩は唇を引き結ぶ。情けなくて涙が出そうになったが、息を詰めてどうにかこらえた。

「答えたくないって、あなたねぇ」

「まぁまぁ、そらわてらには関わり合いのないことやわな。二度と来んなら、よしとしようやないか」

男と女のことにかけては、刈安にもやましいところがあるからだろうか。食い下がろうとした番頭を、思いがけず宥めている。だがその目はまだ、鼠をなぶる猫のようにぎょろりと見開かれていた。

お彩は錦絵の束をぐっと胸に抱く。

「それから、人前であろうとなかろうと、小僧さんを叱ったりはしていません。そんな立場にないことは、分かっているつもりです」

「よくもそんな、空々しいことを。私は、小僧本人から聞いたんです」

番頭はお彩ではなく、刈安に向かって訴えかける。右近が留守にしている今、すべては刈安の差配次第。事実はどうあれ、彼が黒だと言ったほうが悪者になってしまう。

「いつのことですか」

「一昨日ですよ。反物の色を間違えて持ってきた小僧を、叱りつけたでしょう」

まさか、あれが？　お彩はぽかんと口を開けそうになり、危うく頬を引き締める。

「叱っていません。色が違ったので、違うと伝えただけです」

「でもその場では、持ってきた色でも問題はなかったんでしょう？」

「それは、そうですけど」

「だったらひとまずなにも言わずに受け取って、後から注意をすればよかったんです。そんなに私の色を見る目はたしかでございと誇りたいんですか。恥をかかされた子が可哀想ですよ」

「なにを――」

お彩は絶句した。見る目を誇る気などさらさらないと反発したかったが、前半の指摘はそのとおりかもしれないと思ったからだ。十二、三歳といえば、ちょっとしたしくじりも恥ずかしい歳ごろである。もう少し、気を遣ってやればよかった。

ところが刈安は、小指で耳をほじりながらこう言ってのけた。

「わてはべつに、小僧の面目なんかどうだってええし」

そうだ、こういう男だった。自分の店の奉公人を、顧みるような人ではない。さすがの番頭も、これには毒気を抜かれて固まってしまった。

「それでなんや、反物の色って。なにとなにを間違えたんや」

気になるのは、そこなのか。眉を寄せつつ、お彩は答えた。

「納戸鼠と、錆御納戸です」

「ああ、納戸系か。そらまぁややこしわ。お客はどっちを買わはったん」

「いえ、どちらでもなく御納戸茶を」

「ほほう」

刈安の目がすっと細められる。なんだか嫌な予感がする。

「ほなお彩はん、問題や。その三つの色の中で、仲間はずれを当ててみぃ」

やっぱりだ。刈安に引き合わされた初日を思い出し、お彩はごくりと唾を飲んだ。

あのときも、お春に似合う色を選んでみろと試された。

お彩に仕事を与えるかどうかの、瀬戸際で出された質問だった。

まさかこれも、そうなのか。選択を誤ると、塚田屋への出入りが許されなくなりそうだ。

せっかく色見立ての仕事を、面白いと感じられるようになってきたのに。小僧や手代の指南だって、なにもできないまま終わるのは嫌だった。

納戸鼠、錆御納戸、御納戸茶。仲間はずれといっても、どういう観点から見ればいいのだろう。

前回は黄みの入った色の中から、染め草の刈安が使われているものを選びださねばならなかった。ならばこの問題も、染め草から考えたほうがいいのだろうか。

御納戸色は藍染めだ。ならば主な染め草は、藍である。納戸系の色はその濃淡を変えった。

「またただんまりかいな。ええから、思いついたもんをぱっと答えてみよし」

　刈安に急かされて、ならばと勘に頼ることにした。

「御納戸茶、ですか」

「正解や。でも、なんでや？」

「他の二色は灰がかっていますが、御納戸茶はどちらかというと碾茶色に近いので」

「なんや、誰でもでけそうな解説やな」

　思いついたものを答えろと、言ったくせに。刈安はお彩の答えを、鼻先で笑った。

「御納戸茶だけ色合いが違うと思たなら、もう一歩踏み込んでみ。この色はな、藍染めやないねん」

「えっ！」

「桃皮と刈安、それから鉄漿水で染めるんや」

　またもや染め草が刈安だ。納戸という名がついていながら、まさか藍が入っていないとは思わなかった。

　染物の知識では、目の前の男にとうてい及ばない。これでも染屋を見て回るなどして、お彩なりに学んできたつもりだったのに。

「相変わらず、たいしたことなかったたな。あんさん、三月近くもなにをやってたんや」

そんなふうに嘲られても、ぐうの音も出なかった。

刈安がお彩から視線を転じ、煙管の先で番頭を指す。

「な、これで分かったやろ。お彩はんは小僧たちにものを教えへんかったんやない。教えられへんかったんや」

「は、よく分かりました」

番頭は、かしこまって頭を下げる。いくぶん芝居がかった動作である。

「つまりお彩さんは、ただの素人。なら今の地位には、相応しくないのではありませんか」

雲行きが怪しい。お彩は今まさに、塚田屋から追い出されようとしていた。

いつも助け船をだしてくれる右近や、取り成してくれそうなお春はここにいない。間が悪いとはこのことだ。

「せやなぁ。そもそもあの妾腹が、勝手に連れてきただけやしなぁ」

この期に及んで弟を妾腹などと呼ぶ、そんな男のいいようにはされたくはない。

お彩は「待ってください」と食い下がる。

「力量に、不足があるのは認めます。でも私の色見立てを、喜んでくれたお客様もいます。足りないところは補っていきますから、どうかもう少しやらせてください」

声を励まし、言い募る。刈安は、にんまりと笑って見せた。

「ほほう、お彩はんは辞めたくないんか。どうしたもんかなぁ」

頭を悩ませているわけではない。どっちに気分が傾くか、天秤にかけて楽しんでいるのだ。刈安は右に左に首を傾けてから、お彩が座っている側に頭を倒した。

「まぁ、ただ辞めさせるだけじゃつまらんわな」

やった。どうにか命運は繫がったか。

お彩は浮き上がりかけた気持ちに、綱をつけて宥める。刈安のことだ。この先なにを言いだすともかぎらない。

「せやなぁ、話を御納戸茶に戻してみよ。あれがなんで藍染めやないかというとな、元々は納戸という名がついてへんかったからや」

案の定、どこに着地するか分からない話がはじまった。油断はならないと、お彩は気を引き締める。

「一説によるとやな、ある呉服屋が藍海松茶（あいみるちゃ）の反物を屋敷の納戸に仕舞って忘れとったんやて。それから何年も経って、まぁ掃除かなんかのときに出てきたんやろな。久し振りに見たら、すっかり変色してしもうてた。でもなかなかええ色やからと、流行り色やった納戸色にあやかって御納戸茶と名づけて売り出したわけや。それが見事に大当たり、ゆうわけやな」

身振り手振りすら交え、刈安が御納戸茶の由来を説いてゆく。なかなか面白い話である。

ところが刈安は急に夢から覚めたような顔つきになり、肩をすくめた。

「なんてゆう話は、わては眉唾やと思うとる。おおかた染め損じの布をどうにか売りさばこうとして、呉服屋が頭を捻ったんやろう。それが流行って根づいたんやから、たいしたもんやけどな」

お彩は「はぁ」と相槌を打つ。これまでの流れから刈安の意図を探ろうとしたが、分からない。眉間の皺が、深くなっているに違いなかった。

「なぁ、お彩はん。あんさんはさっき流行りを追うと言うとったが、違いまっせ。追っとるようじゃ遅い。呉服屋は、流行りを作らなあかん。お分かりか？」

変色だか染め損じだかの色を、流行り色にまで押し上げる。なるほどそれは、呉服屋の作為だ。お彩は素直に感心して、「はい」と頷く。

「そこでやな、お彩はんにはぜひとも、御納戸茶にも負けへんような流行り色を作ってもらいたいんやわ」

「えっ！」

「それがでけたら、二度と辞めろとは言わへん。でもでけへんかったら、そうやなぁ、あの妾腹にも江戸から出てってもらおうか」

「そんな」

無茶苦茶な話だ。番頭まで驚いて、大きく身動ぎをした。

お彩はずずいと膝を進める。

「右近さんは関係ないでしょう」

「ないわけあらへん。あんさんを引き込んだんはあいつやからな。情けをくれてやるんやから、代償が大きくなるんはあたりまえや」

「なら私が今すぐ辞めます」

「それでもええけど、あんさんが辞めるんと妾腹の放逐はもう対になったわ。せや、あんさんと駆け落ちしたゆうことにしてお父はんに告げたろ。そしたらあいつ、京にも戻られへんわ」

いくら邪魔に思っているからって、半分は血が繋がっている弟になんてことを。右近がいなくなったら塚田屋のこの江戸店は、立ちゆかなくなるだろうに。

「ああ、楽しみやなぁ。あいつが出てってくれたら、お父はんもおらへんこの江戸でのびのびと生きてゆけるわ。まずは吉原のお職でも落籍そかな」

刈安はうきうきと、吉原の花魁を囲う算段までつけている。右近のみならず、お春までないがしろにするつもりか。

やっぱり、どうしようもない男ね。

流行り色の作りかたなど、見当もつかない。だけどもう、後には引けない。

闘志がめらめらと燃えている。こんな男に、やられっぱなしで終わってなるものか。

「分かりました。流行り色、作ってみせましょう！」

気づけばお彩は、胸を張って答えていた。

色の名は

一

常磐津の語りと三味線の音色に乗せて、二人の役者がゆったりと舞っている。

背景には雪中に咲く小町桜。ここは逢坂山の関のほとり。

関守に扮するは四世坂東三津五郎、傾城を演じる女形は三世尾上菊五郎である。

お彩は人いきれのする平土間で、足の痺れも忘れて舞台に見入っていた。錦絵ならばいくらでも目にしてきたが、動き演じる役者を目のあたりにするのは、はじめてのことだった。

なるほど、これは役者絵が売れるはずだわ。

美貌で知られた菊五郎も、すでに五十近いはず。それなのに所作の一つ一つ、目の遣りかた、張り上げた高い声まで、ぞくりとするほどしなやかで美しい。舞台に立つ役者というのは、おそらく只人ではないのだ。

演目は、『積恋雪関扉』。見ているうちにだんだんと、傾城墨染が小町桜の精なのだと分かってくる。そして世を忍ぶ仮の姿の関守こそが、彼女の恋人の仇、大伴黒主なのだ。

問い詰める墨染に、関守は己の正体を声高に明かす。そのとたん、着ていた源氏香柄の綿入れが公家の着る束帯へと変じた。打っ返りと呼ばれる、衣装の仕掛けだ。

「汝は何者じゃ！」

問われるのは、関守ばかりにあらず。墨染もまた、その正体を顕してゆく。頭に挿した幾本もの簪をゆっくりと抜き去り、サッと背中を見せたかと思うと、いかにも桜の精らしい、桜色の衣装に早変わり。

「いよッ、待ってたぜ！」

変わり身の鮮やかさに、客が沸く。

振り返り敵役をはったと睨みつける女形の凄艶さに胸苦しくなり、お彩は着物の合わせをぎゅっと握った。


夕暮れ時の芝居町は、人、人、人でごった返している。

大皿料理を運ぶ仕出し屋に、蕎麦屋の担ぎ。芝居茶屋の男衆は緋毛氈を手に身なりのよい客を案内し、卑しきは近くの居酒屋へと繰り出す算段をつけている。そこへ市村座の芝居小屋から、夢見心地の客たちが吐き出されてゆくのだ。

人の波に揉まれ流され、己の意志より先に足が動く。堀留の蔵地の手前でようやく立ち止まることができ、お彩はほっと息をついた。

振り返れば葺屋町の通りにこれでもかと立てられた芝居の幟が、西日に照らされ茜色にはためいている。道行く人々の頬にまで朱が差しており、それは芝居の興奮のためでもあろう。長年のご贔屓らしき婆さんが、「ああ、菊様のお蔭でまた寿命が延びたよ」と、両手をすり合わせながら脇を通り過ぎてゆく。

「あいたたたたた」

人混みを分けて、京紫の着物を纏った男が追いついてきた。お彩の隣に並ぶなり、大袈裟に顔をしかめる。腰が痛くて真っ直ぐに立っていられないようである。

「ふぅ、あれが升席とゆうやつどすか。いやもう狭うて狭うて、身じろぎもろくすっぽでけまへんわ」

升席の窮屈さについてひとしきり愚痴を零し、拗ねたように口を尖らせた。

「せやしわては、お茶屋さん通しまひょ言いましたのに」

「とんでもない、そんな無駄遣い」

これだから、大店の倅というやつは。お彩は冗談じゃないと首を振る。

そりゃあ芝居茶屋を通せば桟敷席にゆったりと座れたろうし、幕間には気の利いた料理も出るのだろう。だがそれで、いったいいくらの銭が飛ぶのだ。

平土間の升席だって、庶民の稼ぎからすれば充分高い。どの席から見ても芝居の中身は同じなのに、己の快適さのために大枚をはたこうなんて。そんな贅沢はとてもできない。

「わてが二人分払いますやん」

「いけません。ただでさえ右近さんには、迷惑をかけてしまっているのに」

お彩がなおも頑なに拒むと、右近は「ほんになぁ」と眉を下げ、間延びした表情を作った。

「わてがちょっと留守にしとるうちに、けったいな約束をしてしまわはって」

「――すみません」

それについては、下を向いて謝るしかない。

塚田屋の主である、刈安との約束のことだ。お彩の手で、御納戸茶にも負けぬ流行り色を作るべし。それができなければ、お彩が辞めさせられるだけでなく、右近までが江戸を追われてしまう。

どう考えても無茶な話である。だがお彩はすっかり頭に血が上り、刈安に乗せられてしまった。後からお春が間に入って取りなそうとしてくれたが、刈安は「もう決まったことや」と聞く耳を持たなかったという。

一人の人間の進退が、己の肩にかかっている。べつに右近など勝手に身を滅ぼすぶんには構わないが、お彩のせいとなると寝ざめが悪い。

それなのに右近は、まるで他人事のように飄々としていた。なりゆきを知らされたときも「なんでそんなことになってますねや」と呆れはしたものの、慌てた様子を見せなかった。

刈安は、右近の京の居場所まで奪おうと考えているのに。もっと焦らなくていいのかと、こちらが不安になってくる。

今も右近は痛む腰をゆっくりと伸ばし、事もなげに言ってのける。

「気遣いはいりまへん。流行りの色さえ作れたら、わての身は安泰ゆうことですやろ」

けろりとしたものである。そのくせ、色の算段などまるでついてはいないのだ。

「簡単に言わないでください。なにから手をつけたらいいのか、さっぱり分からないというのに」

思い悩んでいるうちに、十一月も残りわずかとなってしまった。刈安からはいついつまでと期限を切られたわけではないが、事がことだけに、悠長に構えてはいられない。

お彩は塚田屋にある反物を片っ端から広げ、うんうんと唸っていた。江戸の巷に流行る色といえば、茶系か鼠色系、もしくは藍だ。こうして芝居町にごった返す人々を見ても、その傾向は明らかである。しかし勤勉な染め職人たちの工夫により、すでにありとあらゆる色が出揃っているように思われた。

今さら、新しい色なんて。しかも多くの人に受け入れられなきゃいけないんだから。

錆御納戸と納戸鼠ですら、見分けられない者がいるのだ。ほんの少しだけ色味を変えて新色とうたったところで、目立つはずもない。

どうしたらいいのかしら——。

頭を抱えていたって、一人ではなにも思いつかない。そんな折に右近から、「流行り色といえばあそこですやろ」と芝居見物に誘われたというわけだ。

「それにしてもまさか江戸っ子のお彩はんが、芝居を観たことがなかったとは」

芝居町の賑わいを眺めながら、右近がやれやれと肩をすくめる。たしかに芝居は江戸っ子の一番の娯楽だが、だからといって誰もが詳しいわけではない。

「嫁入り前の若い娘が役者に熱を上げるのはみっともないって、お父つぁんが許してくれなかったんです」

錦絵と芝居は切っても切れない間柄ゆえ、辰五郎はよく弟子を連れて芝居小屋に赴いていた。同伴を許されぬお彩は帰ってきた弟子たちに芝居の筋を教えてもらい、その場面の役者絵を眺めては想像を膨らませたものである。

「いつか卯吉と一緒になったら連れてってもらえ」

辰五郎からはそう言い聞かされていたが、ご承知のとおりそんな日は来ず、若い娘とは呼べぬ歳になっても余裕がなくて芝居町には足を向けなかった。お蔭で今日が、初の芝居見物となってしまった。

「でもたしかに、これは深みにはまると大変ですね」

先ほどの胸苦しさを思い出し、お彩はふうと息をつく。

本物の芝居は想像をはるかに超えてきらびやかであり、胸に迫るものがあった。お彩がもっと若ければ、役者の流し目一つにすっかりまいっていたかもしれない。役者熱は恋の一種だ。同じ升席にいた娘は、頰を上気させて舞台に熱い眼差しを注いでいた。

「そうどすなぁ。菊五郎はんの美しさには、わても危うくあっち側に転びそうになりましたわ」

そう言って、右近はわざとらしく己の胸を撫でて見せる。

流行り色を作る手がかりを探すための芝居見物だというのに、呑気なものだ。しくじったときにはお彩よりも、はるかに失うものが多いというのに。

「冗談を言っている場合じゃないでしょう」

「わてはいつかて真剣どすえ。まぁ立ち話もなんやから、料理屋にでも入りまへんか。お腹が空いてしまいましたわ」

胸を撫でていた右近の手が、いつの間にか腹の位置にまで下がっている。いったいどこに、真剣みが感じられるというのだろう。

「行きません。早く帰って、夕飯を作らないと」

お彩はいいえと首を振る。そろそろ辰五郎が仕事を終えて家に帰るころだ。寄り道をしている暇はない。

ところが右近は、いいことを思いついたとばかりに顔を輝かせた。

「ああ、そんなら煮売屋でお菜を買って、お彩はんちで食べまひょ」

「ええっ!」

「辰五郎はんにも、相談してみたいですしな」

「なにをです」

「そんなん、色のことに決まってますやん」

辰五郎にはまだ、流行り色を作ることになってしまった経緯を話していない。話せばきっと、「安請け合いをしやがって」と叱られるに決まっている。家に帰ってまで、気まずい思いはしたくなかった。

「あの、お父つぁんにはべつに——」

「なんでですのん。辰五郎はんのお知恵はきっと役に立ちますえ」

辰五郎は元々腕っこきの摺師(すりし)だ。光を失ったとはいえ、色についての知識は豊富にある。

誰よりも心強い味方であることは、お彩にも分かっていた。どんなに頭を絞ってもなにも出なかったときには、諦めて頼ろうと思っていたのだが。

「そうと決まったら、早よ行きまひょ。善は急げ、思い立ったが吉日でっせ」

こちらの返事も聞かず、右近はすでに歩きだしている。

しょうがない。辰五郎への相談を渋っていても、事態がよくなる気配もなし。

だけど右近は本当に、あの狭い裏店で飯を食べるつもりなのか？

「待ってください」と、お彩は慌ててその後を追いかけた。

二

芋の煮ころばし、大根と烏賊の煮物、五目豆、煮豆腐と沢庵。それにお彩が作った汁と朝のうちに炊いておいた飯を添えて、思いがけず贅沢な夕餉となった。

なんとかして右近を家に来さすまいと、食器も箸も二人分しかありませんと遠回しに断ったつもりだが、「そんなら買うて行きまひょ」と、途中で自分のを買い求めてしまった。

箱膳まで買って、「これ一式、わての分として置いとかしてもらいますわ」などと言っている。もしや、また来るつもりなのか。できれば勘弁してほしい。

「まったくてめぇは、そんなことになってるなんてちっとも話さねぇで。大恩ある右近さんに、迷惑をかけてんじゃねぇよ」

辰五郎の口から、飯粒が飛び散った。お彩がしくじれば右近が居場所を失うと聞いて、顔を真っ赤にしている。これだから、なるべく話したくはなかったのだ。

お彩は布巾を取り、畳に落ちた米粒を摘まみ取る。

「お父つぁん、怒るか食べるか、どっちかにして」

「なに生意気な口をきいていやがる。右近さん、この度はうちの娘が厄介事を起こしちまって、本当に申し訳ねぇ」

辰五郎はその場にがばりと平伏した。目が見えぬものだからついでにお膳の端を引っかけて、今度は汁が零れる。

「ええ。ほんに、困ったことになってしまいまして」

質素を通り越して侘(わび)しい部屋で、優雅な箸使いを見せる右近はひどく場違いだった。暗いところには慣れぬだろうと行灯(あんどん)をすぐ隣に置いてやったせいで、その姿はよけいにぼんやりと浮き上がっている。

「せやけど、悪いのはうちの兄どす。お彩はんを責めんといてください」

さっきまで涼しい顔をしていたくせに、右近はよよよと泣き崩れるふりをする。まったくもって、調子がいい。

「右近さんは本当に、器の大きいお人だ。こうして訪ねてきてくれてよかった。色のことなら、俺なんかでもお役に立てるかもしれねぇ」

辰五郎ときたら、すっかり右近に心酔している。「任せてくだせぇ」と、肌寒いのに腕まくりまでする勢いだ。

もう少し、落ち着いてほしいんだけど。

　このところ色見立ての依頼がなくとも塚田屋に行って生地見本帳を睨んでいるせいで、掃除があまり行き届いていない。隣で騒がれると、埃が立つのだ。

　やっと座り直してくれた辰五郎にお彩はお膳の縁を触らせて、ものの位置を教えてやった。

「それで、芝居はなにを観てきたんだ？」

　芝神明(しばしんめい)前の芝居小屋で呼び込みの仕事をしている辰五郎も、江戸三座となるとご無沙汰だ。うきうきとした調子で尋ねてくる。かつてのように芝居見物を咎(とが)めないのは、お彩が歳を重ねたせいもあろう。

「菊五郎はんと三津五郎はんの、『積恋雪関扉』どす」

「ふむ、大和柿(やまとがき)か」

　役者の名を聞き、辰五郎はすぐさま役者色を答える。大和柿はややくすんだ明るい柿色をいい、三世坂東三津五郎が好んだことから、一門に代々受け継がれている色だ。三津五郎の屋号が、「大和屋」である。

「菊五郎にも、菊五郎格子があるわよね」

　父親が落ち着いたのを見て、お彩も口を挟む。役者色ではなく役者柄だが、こちらもたいそうな人気である。

「自分で考えた柄がこんなに評判を呼ぶなんて、すごいことだわ」

流行りを作るというのは並大抵のことじゃないと分かってきただけに、尊敬の吐息が洩れる。菊五郎格子は「菊五郎」と読めるよう工夫された格子模様で、役者本人による考案と言われている。

「いや、それはどうなんでっしゃろ」

ところが右近は茶碗を構えたまま首を傾げる。辰五郎もまた、「そうだな」と頷いて芋を頬張った。

「そりゃあ菊五郎も案を出しちゃいるだろうが、後ろに呉服屋や染屋がついていることは間違いねぇ。人気役者は衣装を自前で用意するんだ。その役が当たりゃ、着ている着物の色柄も大流行り。そんな儲け話に乗らねぇはずがねぇ」

もぐもぐと口を動かしながら、辰五郎は講釈を垂れる。ときには呉服屋のほうから、「こういう色柄はいかがでしょう」と話を持ちかけることもあるという。

「つまり役者色も役者柄も、呉服屋の仕掛けだ。塚田屋さんには、贔屓にしている役者はいねぇのかい?」

酒を控えている辰五郎が、傍らの湯呑を取って茶を啜る。問いかけられて、右近は「残念ながら」と首をすくめた。

「うちはまだ、江戸に出てきて日が浅いですよって。下り役者なら縁のある人はおますけど、とても看板を張れるほどでは」

下り役者とは、江戸へ下ってきた上方の役者をいう。芝翫茶の役者色を持つ三世中村歌右衛門が江戸で評判を取った文化文政のころならともかく、今はこれといって目立った役者はいなかった。

「そうかい。役者なら誰でもいいってわけじゃねぇもんな」

人気実力ともに認められた役者でなければ、その名を冠した色柄が流行るはずもない。辰五郎は、右手の人差し指と中指をゆっくりと立てた。

「今流行りを作るだけの力があるのは菊五郎と、この春息子に團十郎を譲っちまった五世市川海老蔵くらいのもんか」

どちらもすでに四十すぎだが、派手な役者だ。菊五郎のもう一つの役者柄である「斧琴菊」は、團十郎時代の海老蔵が流行らせた「鎌輪ぬ」と張り合うため、着物の意匠に用いられたという。双方とも江戸のはじめに流行り、廃れていた柄であった。

「どちらかの贔屓になって、湯水のように金を注ぎ込めば、多少の無理は聞いてくれますやろうけど」

「ああ、そうだな。こちらが勧める色を纏ってもらったところで、それが当たるかどうかはまた別の話だ」

なんだか生臭い話になってきた。お彩は慌てて首を振る。

「そんな。塚田屋さんにこれ以上負担をかけるわけには」

「甘(あめ)ぇな、流行りを作るには金がいる。錦絵だってそうだろ。たとえば写楽だ。無名の絵師の大首絵を、黒雲母摺(くろきらずり)なんて豪華仕様にしたのはなんのためだ。なにがなんでも、そいつを売り出そうとしたからだろう」

辰五郎はお彩にも分かりやすく、絵でたとえてきた。そう言われると、言葉に詰まる。読みを誤れば大損すると分かっていても、これは売れると思えば賭けに出るのが商人というものだ。

「だけど肝心の、売り出すべき色がまだ決まっていないのに――」

食欲をなくし、お彩は静かに箸を置く。写楽を売り出した版元の蔦屋重三郎(つたやじゅうざぶろう)だって、目の前に誰も見たことがないような才能があったからこそ賭けに出たのだ。売るべきものが決まってもいないうちから算盤(そろばん)を弾いたところで、皮算用でしかない。

「人目を引くような新しい色なんて、ちっとも考えつかないのよ」

これならばと自信を持って勧められる色があれば、売り出してくださいと右近に頼めたかもしれない。だがまるっきり頭の中が真っ白では、どうにも身動きが取れなかった。

「おい、彩。おめぇ、思い違いをしてねぇか」

辰五郎はそう言って、光を映さぬ目をこちらに向けてくる。まるで見えているかのような自然な動きだったので、どきりとした。

その口元には、意味ありげな笑みが浮かべられている。

「塚田屋の旦那とやらは、新しい色を作れと言ったんじゃねぇんだろう？」

「あっ！」

そうだった。何度思い返してみても、刈安は「流行り色」としか言っていない。

お彩は口をぽかんと開けたまま、向かいに座る右近を見遣る。

彼もそのことに気づいていたのだろうか。「さすが辰五郎はんや」と褒めちぎる声が、やけに空々しく聞こえた。

三

江戸茶、利久茶、遠州茶、唐茶に樺茶、栗皮茶――。

翌日お彩は塚田屋に行き、飽きもせず生地見本帳をめくっていた。

これまではこの色を少し暗くしたり、薄くしたり、あるいは灰がからせたりすればどんな色合いになるだろうと想像しながら眺めていたが、今は色そのものを見ている。

特に茶色が気になってしまうのは、昨日役者色の話をしたせいでもある。いくつかの例外はあれど、そのほとんどが茶系であった。

流行り色というのはべつに、新しい色である必要はない。ならばこの中から、流行りそうな色を見繕ったっていいわけだ。

「役者色でいえばほら、團十郎茶があるじゃねぇか。あれの元の名は、柿渋色だ」

そう言ってにんまりと笑った、辰五郎の顔が頭をよぎる。

團十郎茶は五世市川團十郎が衣装に用いたことで流行し、以来成田屋に受け継がれている色である。もともとあった色が、流行り色になった分かりやすい例だった。

目のつけどころを変えて生地見本帳を見てゆくと、役者色でなくとも色名を新しくすることで流行った色があることに気づく。

たとえば洒落柿は、もとは晒柿。色合いはごく淡い柿色だ。

元の名のほうが色の特色は出ているのだが、「しゃれがき」のほうが「されがき」よりも語呂がよく軽快で、江戸っ子の好みに合っていたのだろう。こちらは安永ごろに流行ったそうだ。

それから、媚茶。元の名は昆布茶である。やはり語呂よく洒落た響きになり、江戸っ子に広く受け入れられたようだ。こちらはまさに今、流行りの真っ只中である。

思い返してみれば刈安から聞かされた御納戸茶の由来も、似たようなもの。色名を工夫して売り出すのは、呉服屋にはよくあることなのだろう。当然右近だって心得ていたはずなのに、お彩には教えてくれなかった。

こんなふうに、遠回りをさせて。やっぱり刈安さんと勝手な約束をしちゃったこと、根に持っているんじゃない。

「気遣いはいりまへん」などと口では言いながら、さりげなく意趣返しをしてくる。それが京男というものか。裏表のない江戸っ子としては、受け入れがたい気質である。

「いっそのこと、怒ればいいのよ」

心の中で思ったことが、口に出ていた。塚田屋の、店の間の片隅だ。たまたま通りがかった手代の正吉（しょうきち）が、ぎょっとして振り返る。

いけない、怪しまれてしまった。お彩は口元を手で押さえる。

右近の聞き取りによると、塚田屋の奉公人たちがよそよそしかったのは、番頭のせいだったらしい。「自分の仕事がなくなると困るから、お彩さんは人にものを教えない」と吹き込んで、奉公人たちを失望させた。それで彼らは、お彩の頼みごとにも知らぬふりをしていたのだ。

その誤解は右近が解いてくれ、声をかけてもそっぽを向かれることはなくなった。けれどもまだ、なんとなく遠巻きにされている。実際にお彩がものを教えたことはないのだから、不信が拭えないのも無理からぬことだった。

その一方で番頭は、事あるごとに「進み具合はどうです」と声をかけてくるようになった。お彩一人を追い出せれば満足だったのに、刈安が右近まで標的にしてしまったものだから焦っているのだ。この店が右近なくして回らないことは、帳場を預かる彼にはよく分かっている。

今も帳場格子の向こうから、鷲鼻をそびやかしてお彩の様子を窺っていた。混乱を避けるため、刈安との賭けは他の者には知らせていない。お彩を嫌っていたはずなのにどういった心境の変化だろうかと、そんな番頭を奉公人たちは戸惑いがちに眺めていた。

「お彩はん、そろそろ」

相手していた客を手代に譲り、右近が近づいてくる。

頭を切り替えなければ。今日は、色見立ての依頼が入っている。

とんとんとこめかみを叩きながら、お彩は右近を見上げる。

釈然としないものが目元に表れていたのか、右近は「なにか？」と笑顔のまま首を傾げた。

この人って本当に、なにを考えているのかしら。

出会ってから早くも一年が過ぎたというのに、摑めぬままだ。怒ったり泣いたりしているのは自分ばかりで、右近が感情を露わにしたところなど見たことがない。

「べつになにも」

視線を外し、お彩は生地見本帳を風呂敷に包む。右近の胸の内など、どうだっていいことだ。自らにそう言い聞かせつつ、鬱金（うこん）染めの風呂敷の結び目をキュッと絞った。

空は浅葱（あさぎ）色に澄み渡り、市村座の前は本日もたいそうな人出である。人の間を縫って歩いても、隣町には中村座もあり、なかなか真っ直ぐには進めない。役者色を纏っている者も多く、女たちの頭に挿さっている平打ち簪には、贔屓役者の紋が入っていたりする。

群衆の熱気に押され、あと少しのところで芝居町から出られない。「お彩はん」と京紫の袖が伸びてきて、ようよう引っ張り出された。

「いやはや、さすがは日銭千両の町どすな」

右近が着物の乱れを直し、お彩も鬢(びん)を撫でつける。芝居の素晴らしさは分かったが、この混雑に毎度揉まれるのはご免である。それでもよいという熱意を持ち続けられる人々が、お彩にはなんだか羨ましかった。

用があるのは芝居町ではなく、その先にある一軒家だ。右近が訪(おとな)いを告げると、しばらくして藤紫の縮緬(ちりめん)を着た女が入口の障子戸を開けた。

「いらっしゃい。待ってたよ」

どうぞどうぞと、奥の部屋へと通される。寒いので窓は閉じられているが、庭にはもう紫の花は咲いていないだろう。あれらはすべて、秋草だった。

「さぁさ、お座りになって。冷えてきたからほら、火にお当たりよ」

藤紫の女が、並んで座ったお彩と右近に火鉢を勧めてくる。以前色見立てをした、町芸者のゆかりだ。旦那である寿々屋(すずや)のご隠居は不在のようで、その代わりにゆかりよりやや年嵩の女がお彩たちを待っていた。

髪をつぶし島田に結い、着物は黒に雪輪模様。地味ななりをしても、ほのかに色気のにじむ人だ。明らかに、こちらも堅気でないと分かった。

「この人が、しずか姐さん。アタシの姉弟子だよ」

ということは、ゆかりとは三味線の師匠が同じなのだ。たしか師匠は三度の飯よりも、人を馬鹿にするのが好きな女だったと聞いていた。

お彩の頭の中が手に取るように分かったのか、しずかは整った見た目に似合わず、おおらかに笑う。

「そう、アタシってばお喋りでねぇ。師匠からはしょっちゅう『静かにおし!』と叱られてて、なんとそれが源氏名になっちまった。名を呼ばれるたびあの声が耳によみがえるもんだからさ、お蔭様で昔より口数が少なくなったよ」

ろくに息継ぎもせず、しずかはそこまでを一気に喋った。なるほどこれで口数が減ったなら、昔はさぞやかましかったことだろう。

「わざわざ来てもらってすまないね。こないだゆかりの着物を見てさ、あんまりにも粋だから、アタシも一つ色見立てってのをしてもらいたくなっちまったんだよ」

「それはそれは、おありがとうございます」

しずかのお喋りに、右近がにこにこと調子を合わせる。

ゆかりに見立てた二藍ぼかしの着物はずいぶん手間暇がかかったようだが、先日無事本人の手元に届いたという。それが客にもご同業にもたいそうな評判で、寿々屋のご隠居も鼻を高くしているとは聞いていた。

「お蔭様でね、お座敷も増えたんだよ。あのときは我儘も言っちまったけど、本当にいい見立てをしてもらった。ありがとうよ」

こんなふうに面と向かって礼を言われると、苦労した甲斐があるというもの。照れ隠しに「いえ、そんな」と応じながらも、頬が緩むのを抑えきれない。

どうしよう、嬉しい。

客からの感謝の言葉が、こんなにも胸に沁みるとは。やっぱりまだ、色見立ての仕事を辞めたくないと思ってしまう。

「お役に立てて、嬉しおす」

右近もまた、神妙に頭を下げる。少しばかり、長いと感じたのは気のせいだろうか。面を上げると、先ほどと寸分違わぬ笑顔が貼りつけられていた。

ぱちぱちと、火鉢の中の炭が爆ぜる。

人混みを抜けてきたのでさほど冷えを感じてはいなかったが、それでも火を見ていると体の芯がほぐれてくる。

ほどよく座が温まってきたころに、しずかが「それでさ」と膝を進めてきた。

「さっきも言ったとおり、アタシは落ち着きがないもんだから、どっしりして見えるようにお座敷では黒ばかり着ているんだよ。でも近ごろなんだか、顔が寂しく見えちまってね。どうしたものかと悩んでいたのさ」

顔の周りを指差しながら、早口にまくし立ててくる。たしかにしずかは、今も黒の着物を着ている。

黒は粋色の最たるものだ。男たちばかりでなく、町をゆく芸者もよく黒紋付きを纏っている。しっとりした美しさに惹かれ、つい目で追ってしまうこともある。

「なるほど」

頷きながら、お彩はあらためてしずかの顔と着物を見比べた。

たとえば肌の浅黒いお彩に黒は似合わない。一方しずかは色白だ。しかし目元の涼しいゆかりとは違い、ふんわりとした優しい顔立ちをしている。そのぶん黒の色合いが、強く感じられてしまう。

若いころは、まだよかったのだろう。だが人は歳と共に顔が縦に長くなってゆき、目鼻立ちが寂しげになるものだ。しずかには、もう少し柔らかな色が似合うように思われた。

「そうどすか。黒もお似合いやと思いますけど」

右近が間に世辞を挟む。客に向かって「似合わない」と言ってしまっては、呉服屋として具合が悪い。そのあたりの呼吸が、お彩にもだんだん摑めてきた。

「ええ、もちろんです。でもしずかさんが満足していないんですから、他の色も見てみましょう」

そう言って、生地見本帳を取り出す。相手が芸者ということで、粋色ばかりが集められたものを用意していた。

「黒よりも柔らかな、鼠色系はどうでしょう」

粋筋には、鼠色を好む者も多い。しずかの意に適う、落ち着いた色でもある。

しかし素鼠（すねずみ）や溝鼠（どぶねずみ）といった、いかにも鼠色然とした色はやはり顔が暗く映りそうだ。かといって明るい白鼠でも、寂しげな印象になってしまう。

「青みが入ったものが、お似合いになりそうですね」

赤みや黄みの入った鼠色もあるが、今度は顔がぼやけてしまいそう。生地見本帳をぱらぱらとめくり、お彩はやっぱりこれだと頷いた。

「このあたりが、青みのある鼠色です」

見本帳の上下を逆にして置いてやると、しずかはさらに顔を寄せてくる。ほんのりと、白檀（びゃくだん）のような香りがした。

「ああ、本当だ。好みの色が多いね」

鉄御納戸、錆鉄御納戸、錆御納戸、納戸鼠といった、納戸系の色もそれにあたる。落ち着いていながら艶のある、複雑な色合いが並んでいる。

「これは、なんて色だい」

その中の一色を、しずかは迷わず指差した。

見本帳を覗き込み、答える。

「湊鼠（みなとねずみ）ですね。こちらも藍染です」

御納戸茶という例外はあったわけだが、納戸系はそのほとんどが藍染だ。湊鼠は御納戸色よりさらに淡く染め、蘇芳（すおう）や墨などを加えて灰がからせた色である。明るめでも青みが入っているぶん、しずかの顔色が映えそうだった。

「へぇ、いい色だねぇ」

さすが人前に出る芸者さんは、自分に似合う色が分かるのね。

湊鼠を見て顔を輝かせたしずかに、舌を巻く。たいてい男より女のほうが色を見る目があるものだが、人目を意識することでさらに研ぎ澄まされてゆくのだろう。そういえばゆかりも、お彩が「二藍ぼかし」と言っただけで、その仕上がりを頭に思い浮かべることができた。

おそらくしずかも、湊鼠を纏う己を思い描いているのだろう。紋を入れて色無地にしてもいいし、裾模様でも粋だ。離れて見れば無地のようでもある、鮫小紋や万筋（まんすじ）だって捨てがたい。

　しずかの想像を邪魔せぬよう、お彩はしばらく黙っていた。きっと、手持ちの帯をどう合わせるかというところにまで考えが及んでいる。

　やがてしずかは、ついっと顔を上げて尋ねてきた。

「湊鼠の湊ってのは、海のことがい。その色を模したってこと？」

　名前の由来までは調べてこなかった。たぶんそうだろうと頷きかけたところで、隣に座る右近が「いいえ」と首を振った。

「湊鼠の湊は、大坂の湊村で作られる鳥の子紙からきてるんどすわ。壁や襖の腰張りに使われとる、あれのことどす」

　言われてみれば塚田屋の部屋の壁も、腰から下の位置にこういった色の紙が貼られている。危ないところだ。右近の返答があと少し遅れていたなら、お彩は客に無知をさらす羽目になっていた。

　これだから、刈安さんにつけ込まれるんだわ。

　もっともっと、学ばなければ。密かに拳を握ってそう決意したお彩とは反対に、しずかの眼差しがすっと冷める。

「ふぅん、大坂ねぇ」

　それがどうしたと言わんばかりに、髷を結った髪を簪の先で掻いている。

「そうだねぇ」と、ゆかりも足を崩して頷いた。

「名前が粋じゃないよ。こちとら江戸っ子だってのにさ」

「間違いない。なんでも大坂では芸者じゃなく、芸子と呼ぶらしいよ」

「おやまぁ、子供だましみたいだね」

女二人はそう言って、くすくすと笑い合う。湊鼠という色の名は、江戸の芸者の意地と意気にそぐわなかったようである。

「ねぇ、お彩さん。もっとこう、江戸らしい色ってのはないのかい」

しずかが手も握らんばかりに、身を乗り出してくる。いつもなら「ありますよ」と、すぐに答えられる問いである。

しかしお彩は呆然として、「江戸らしい、色——」と、独り言を呟いていた。

四

しずかの着物は、納戸鼠の色無地に決まった。

江戸らしい鼠色といえばその名も江戸鼠（えどねず）があるのだが、こちらは茶色がかっており、青みのある色ほどにはしずかに似合いそうにない。

納戸系の大元である御納戸色は、千代田のお城の納戸にかかっていた幕の色。そんな説もあるくらいだから、こちらも江戸の色と言ってよかろう。

「いい見立てをしてもらった。仕上がりを楽しみにしてるよ」

どうやらしずかにも、満足してもらえたようだ。

二人の芸者に戸口まで見送られ、芝居町の混雑を避けて別の道をゆく。

日が短くなったせいでお天道様は西の空にうんと傾いており、本石町(ほんごくちょう)に向かって歩いていると、目を開けていられないほど眩しい。先をゆく京紫の着物の裾を視界の端に捉えながら、お彩はうつむきがちに足を運ぶ。

頭の片隅にはずっと、生地見本帳に貼られていた湊鼠の色合いがちらついていた。それから顔を輝かせて「いい色だねぇ」と言った、しずかの声。

色名さえ違っていれば、きっとあの色に決まっただろう。渋いが美しい色で、若い娘から年輩まで、幅広く着られそうだ。もっと江戸っ子好みの名に改めれば、広く受け入れられるのではなかろうか。

胸がどきどきする。考えを纏めようとこめかみを揉んでいると、目の前の背中にぶつかった。

「わっ、びっくりした」

「ああ、すんまへん」

右近が急に立ち止まったのだ。思案に沈み、気づかなかったお彩も悪い。

「どうしたんですか」

「はぁ、ちょっと考えごとをしとりまして」

ということは、お彩と同じく湊鼠が気になっているのだろうか。「私もです」と口を挟もうとしたが、その前に右近が先を続けた。

「たとえお兄さんとの賭けに負けても、お彩はんは色見立てを続けられるんやないかと思いましてな」

「は？」

自分でも、頰がぐにゃりと歪むのが分かった。この男は、いったいなにを言いだしたのか。

「このぶんやと、まだまだ芸者衆からの依頼がきますわ。お座敷におった旦那はんたちの目にも留まるやろし、塚田屋の後ろ盾がのうても一人でやっていけるかもしれまへん」

お彩はさらに眉根を寄せる。そんなことを、なぜ今言う必要があるのだろう。

「わての目が曇ってなければ、近ごろお彩はんも色見立てにやりがいを感じてはったと思いますねや。せやから塚田屋に出入りできんようになっても、色見立てはやめんでもええんやないかと――」

「私はよくっても、あなたは駄目でしょう。江戸を追われてしまうんですから」

西日は眩しいが、お彩は毅然と右近を睨みつけた。逆光になって、その表情は窺えない。こんなときでも、いつもと変わらぬ狐面のような笑みを浮かべているのだろうか。

「そうなったらそうなったで、まぁしゃあないですわ」

「なんです、その投げやりは！」

ついつい、声が大きくなる。かかっているのが自分の進退だけなら、お彩だってこんなに頭を悩ませてはいないのだ。「流行り色、作ってみせましょう！」と身の丈に合わぬ啖呵(たんか)を切ってしまったのも、弟を妾腹と蔑み、妻のお春をないがしろにする刈安に腹を立てたから。

そうだあの男だけは、なにがなんでも「参りました」と言わさなければ気が済まない。ふつふつと、腹の底から闘志が湧き上がってきた。江戸っ子らしい、負けず嫌いの血が騒いでいる。

こんなときに、弱気になられては困るのだ。呉服屋ならあたりまえの色名のことも、すぐに教えてくれなかったのが腹立たしい。

難題だからこそ、力を合わせて知恵を絞らなきゃいけないっていうのに。

お彩は勢いに任せ、右近の鼻先に人差し指を突きつけた。

「馬鹿にしないでください。こんなわけの分からない仕事に、私を引っ張り込んだのはあなたなんですからね。塚田屋と縁が切れてまで、色見立てを続ける気はありません！」

「せやけど、せっかく――」

「『せやけど』も『しゃあない』も、禁止です。のらりくらりとした上方言葉なんか使ってるから、面倒な考えが起こるんですよ！」

「そんな殺生な」

お彩だって、無茶苦茶なことを口走っているのは分かっている。けれども己にふりかかる火の粉まで、他人事のように眺めている右近が気に食わない。

「うるさい。もっとてめぇを大事にしやがれ！」

かっとなって、胸倉を摑まんばかりに詰め寄った。西日の加減が変わり、やっと相手の表情が読み取れる。

虚を突かれたのか、右近は切れ長の目を見開いて、途方に暮れているようだった。

なによ、いつもの狐面はどうしたのよ。

お彩もまたびっくりして、にわかに頭が冷えてきた。むしろ冷えすぎて、なんてことを言ってしまったんだろうと悔恨の念にとらわれた。

いくらなんでも、あの伝法口調はないわ。

辰五郎との喧嘩ですら、もっと言葉を選んでいる。これではとんだ跳ねっ返りだ。若い娘ではないのだから、なおのことたちが悪い。

「あの、すみません」

すっかり弱々しくなって、お彩は謝った。だがそれより早く、右近が身をのけ反らせて笑いだす。

それは見慣れた、作り物めいた笑顔ではない。右近は子供のように、顔をくしゃくしゃにして笑っている。

「いやもう。格好よろしいわ、お彩はん」

まるで発作だ。お彩はぽかんと突っ立ったまま、笑い続ける右近を見上げた。

「よぉ、兄ちゃん。江戸の女はいいだろう？」

いつの間にか、周りに見物の輪ができていた。上方の男と江戸の女が喧嘩をはじめたと、物見高い連中が足を止めたのだ。

「いやだ！」

今さらと知りながら、お彩は着物の袖で顔を隠す。その頭上から、やけに晴れやかな声が降ってきた。

「へぇ、お蔭さんで。わて、もう江戸から離れられやしまへんわ」

塚田屋の奥の間では、お春がちょうど床の間に飾る花を活けていた。

「あらまぁ、お彩はん。どないしはったんどす、そない息を切らさはって」

髪を振り乱して駆け込んできたお彩にぎょっとして、手にしていた千両の赤い実を切り落してしまったようだ。「あらら」と、お春は苦い顔で手元に目を落とした。

「ああ、すみません。お騒がせを」

「このくらいは平気どす。庭からまた取ってきますよって。それでまぁ右近はんは、なんや楽しそうどすなぁ」

開け放したままだった障子をさらに開き、右近が悠々と入ってくる。こちらは息も乱していないし、汗一つかいていない。表情も狐のお面のような笑みに戻っているが、つき合いの長いお春には違いが分かるようだ。

「ええ、お彩はんが行かんといてと縋(すが)りついてくれはるから、江戸に未練が出てきましてな」

「誰が、いつ！」

根も葉もないことを言われ、お彩はすかさず嚙みついた。右近ときたら、すっかりいつもの調子である。

人前で柄にもない勇み肌を見せてしまい、動揺を隠せぬお彩とは雲泥(うんでい)の差だ。少しでも早くあの場から逃れたくて、脇目も振らずに走ってきた。さきほどの場面を思い返すと、まだ顔から火が出そうである。

ひとまず部屋の隅に座り、お彩は息を整える。右近が縁側に顔だけ出し、「あ、すんまへん」と誰かを呼び止めた。

「お茶を三つお願いしますわ。それからなんか、甘いもん」

その先に女中でもいるのだろう。用を言いつけると障子を閉めて、右近もやれやれと腰を下ろす。

「ああ、あきまへん」

そんな右近に、お春が待ったをかけた。

「詳しい事情は分かりまへんけど、どうせ右近はんが悪さしはったんでしょう。はい、庭から千両をひと枝切ってきとくれやす」

そう言って、花切り鋏の把手側を差し出した。実を切り落してしまった千両の、埋め合わせをしろということだ。

「そんな、ひどい決めつけですわぁ」

不平を洩らしつつ、右近はしぶしぶ立ち上がる。どうせお春の頼みごとを、断るつもりはないくせに。

江戸への未練とともに、お春に対する執着も思い出したのだろうか。鋏を受け取るときに軽く指が触れたのは、わざとだったのかもしれない。

五

女中が持ってきた煎茶には、菊を模った落雁が添えられていた。

上等なものらしく口に含むとほろほろとほどけ、品のよい甘さが広がってゆく。渋めに淹れた煎茶とは実に相性がよく、お彩はようやく人心地がつけた。

その間にお春は右近が切ってきた千両を活け、床の間に飾る。千両と砥草だけの、すっきりとしたあしらいだ。活け花のことはなにも分からないが、春の日向のように柔らかな彼女の中に、研ぎ澄まされたものを見た気がした。

「さて話は戻りますけども、江戸に未練とゆうことは、流行り色の問題に目鼻がついたんどすか?」

お春は切り落とした千両の葉や枝を反故紙にまとめ、ついと膝を進めてくる。優雅な所作に、思わずため息が洩れそうである。

こんな素晴らしい妻がいて、刈安はなぜ遊び歩いているのだか。今日もあたりまえのように行方知れずの店主に苛立ちつつ、お彩は「まだ、ぼんやりとですが」と答えた。

その声が、「いいえ、まだまだどす」という右近の返答と被る。

「どっちやの?」

お春が戸惑うのも無理はない。右近も目を細めて尋ねてきた。

「おや、いつの間に」

「本当に、ぼんやりなんですよ。さっきから、湊鼠が気になっているんです」

「湊鼠？」

お春にはぴんとこなかったようだ。お彩は風呂敷に包んで持ち帰ってきた生地見本帳を開き、目当ての色を指し示す。

「こちらです」

「へぇ、趣のあるええ色どすなぁ」

洗練されたお春の目にもそう見えるのだ。にわかに自信がついてきた。

「そうでしょう。粋な風情もありますから、江戸っ子が好むはずです。これに江戸風の名前をつけて売れば、そこそこ評判になると思うんです」

「そうどすな。すっきりとした江戸のお人によう似合いそう」

「たとえばほら、黒繻子（くろじゅす）の帯を合わせてみたり」

「ああ、その組み合わせの江戸美人が頭に浮かびますわ」

お春と話していると、だんだん浮かれ調子になってきた。これはもう、湊鼠に決めてしまってもいいのではなかろうか。

ところが右近は胸の前で腕を組み、難色を示した。

「わても悪うないとは思いますけど、鼠系の色やと役者の力は借りれまへんで」

冷や水を浴びせられたような気分で、お彩は「うっ」と言葉に詰まる。

そのとおりだ。役者色の多くは茶系で、鼠色系は一つもない。華やかな役者稼業に、「鼠」の名はそぐわないということだろう。たとえ塚田屋が金を積んで頼んだとしても、断られるに違いなかった。

「それに江戸風の名前とゆうのも、すでに考えがあるんどすか」

「いいえ。それはまだ、なにも――」

右近に畳みかけられて、たちまち気持ちが萎んでゆく。せめて色の名前くらいは、思いついてから意見をすればよかった。

「まぁまぁ、そんな頭ごなしに決めつけんと。三人寄ればなんとやら、ちょっと考えてみまへんか」

そんな中、お春はまさに救いの神だ。右近をやんわりと窘めてから、自ら「うーん」と頭をひねる。

「江戸らしいもの、そうどすなぁ――。あ、握り寿司！」

「なんどすのそれ」

思いがけぬ発想に、右近が控えめながらも自然に笑う。

「『握り鼠』、それとも『寿司鼠』？　なんのこっちゃ分からしまへん」

「ええの、とにかく思いついたのを片っ端から挙げてくの」

「ほんならそやなぁ、町火消し」

「そうそう、その調子どす！」

そういえばこの二人は、幼馴染でもあるのだ。じゃれるようなやり取りに、浅からぬ絆が感じられる。なんとなく、口を差し挟むのを遠慮してしまう。

しかし「火消し鼠」という色名が浮かんだとたん、お彩もふっと笑みを洩らした。頭の中で、火消し装束の鼠が纏を振っている。ずいぶん勇ましい様である。

「はい次は、お彩はん」

「えっ、順番なんですか」

突如お春に名指しされ、狼狽えた。実は生まれついての江戸っ子こそ、江戸らしいものが分かっていないのかもしれない。

「うーん、なんでしょう。相撲？」

「残念、それは上方にもありますわ」

右近に指摘されずとも、お彩だって京都相撲と大坂相撲があることくらい知っている。だが昨今では、番付の上位を占めるのは江戸相撲の力士ばかり。あながち的外れではないと思うのだが。

「相撲鼠」も「力士鼠」も、けっきょくおかしいものね。

この調子で次々と、江戸らしいものを挙げてゆく。蕎麦、水道、火事、喧嘩、日本橋、初鰹――。なかなかしっくりくるものが見つからない。

「そんならええっと――。あ、錦絵！」

お春がそれらしきものはないかと部屋の中をぐるりと見回し、ある一点に目を留めた。お彩が色見立ての参考になればと持ってきた錦絵の束が、お春の配慮で蒔絵の施された硯箱に収められている。それが文机の上に載っていた。

「上方でも出てますけども、江戸ほど盛んやないもの」

「へぇ、そうなんですか」

お彩は上方の錦絵を目にしたことがない。機会があれば、見てみたいものである。

「せやけど『錦鼠』とは、ますますけったいな。色鮮やかなんか、鼠色なんか、分からしまへん」

これは思っていたより難しい。しだいに案を出すより考え込む間のほうが長くなり、ついには三人揃って沈黙してしまった。

「ああ、もう。江戸鼠が使われてなければ、話はもっと簡単どしたのに」

江戸紫、江戸茶、そして江戸鼠。名前に江戸とつく色は古くからある京染めに対し、江戸で作られた新しい色と主張するむきがある。いずれも江戸っ子には人気の色だった。

「江戸は無理でも、地名はええんと違います？　これまで挙げた中では、『日本橋鼠』

が一番ましな気がしますわ」

「たとえば『浅草鼠』とか？」

「そうそう、『芝鼠』とか」

お春の提案は、悪くない。江戸そのものの名は使えなくとも、世に知られた名所は数あるのだ。

たしかあの硯箱にも、名所絵が何枚か入っていたはず。蓋を開けてみるまでもなく、お彩はすべて覚えている。

「あっ！」

その中でも、真っ先に頭に思い浮かんだ一枚があった。最近では一番の気に入りだ。葛飾北斎の、『富嶽三十六景　深川万年橋下』。初音堂で見かけて買った、あの絵である。

「深川！」と答えた声は、これまでになく弾んでいた。

「どうでしょう、『深川鼠』。粋じゃありませんか？」

深川は、江戸の中でも新興の地である。ゆえに深川という地名には、新しげな響きが含まれている。

そしてなんといっても、意気と俠気を売り物にしている辰巳芸者の存在だ。まさに粋の権化として、江戸中の憧れを集めている。きっとゆかりやしずかのような町芸者も、彼女たちには一目置いているに違いない。

　華美を好まず、鼠色系の着物を身に着けている辰巳芸者。湊鼠を「深川鼠」と改めれば、まずはあの地で受け入れられはしまいか。

「ふむ、なるほど」

　右近が顎先に手を当てて、「深川鼠、深川鼠」とお題目のように唱えだす。それからじっと目を瞑り、なにやら思案を巡らせている。

　お彩は息を呑み、その様子を見守った。お春までがなぜか、神仏を拝むように手を合わせる。

　右近がぱちりと目を開くと、二人揃って身を乗り出した。

「せやけど、すでにありそうな名ではありますな」

　言われてみれば、色の名として収まりがよすぎる。お彩は手元の生地見本帳をぱらぱらとめくった。

「この中には、なかったはずです」

「出回っている色だけやのうて、もっと詳しく調べてみまへんと」

　間を置かずに、右近はするりと立ち上がる。そのまま障子を開けて出てゆこうとする背中に、お春が「どちらへ？」と問いかけた。

「店に、染め色に関する本がようけありますよって」

手持ちの文献に、片っ端から当たるつもりのようだ。

そろそろ帰り支度をしなければならない頃合いだが、そうなるとお彩も手をこまねいていられない。

「私も、お手伝いします」

一人より、二人のほうが早いはず。慌てて右近の後を追う。

お春の「お気張りやす」という労(ねぎら)いに、お彩は肩越しに振り返り頭を下げた。


店の間の片隅で、次々と書を紐解いてゆく。

反物が、ずらりと並べられている一画だ。客の目に直に触れないよう仕切りをしてあるぶん、昼間であっても薄暗い。行灯に顔を寄せ、畳に這いつくばるようにして色の名を追う。

塚田屋にはそれこそ大和の国のころからの染織りにまつわる書が収められているが、深川の名を探すだけなら江戸に入ってからのもので充分だ。その点では、難しい男文字が読めぬお彩も助かった。

反物を取りに来た小僧たちが、なにごとかという眼差しを向けてゆく。ついに見かねた番頭が、「なにをしてるんですか」とやって来た。

「ちょうどよかった、番頭はん。手が空いてる者がおったら、何人かこっちに回してくれまへんか」

「はぁ」

釈然とせぬ顔のまま、番頭は小僧を二人寄越してくれた。

人手が増えたお蔭で、積み上げておいた書物がどんどん嵩を減らしてゆく。ひと通り目を通して顔を上げてみると、行灯の明かりが届かぬ部屋の角はすでに真っ暗になっていた。

客もおらず、奉公人たちは店仕舞いをはじめている。奥の台所からは、夕餉の仕度のにおいが漂い出ていた。

「ありまへんどしたな」

右近が開いていた書物を閉じる。わけが分からぬまま「深川鼠」という文字を探すよう命じられていた小僧たちも、「へぇ」と頷く。

「さてこれを、どないするかや」

再び右近が目を閉じて、こめかみを揉みはじめる。小僧たちが顔を見合わせ、「あの、もう行っても？」と問いかけてきたので、お彩が代わりに「はい、ありがとうございました」と応じた。

はたして湊鼠改め、「深川鼠」は採用されるのだろうか。暮れ六つ（午後六時）の捨て鐘が鳴りだしたのを聞きながら、お彩は高鳴る胸を撫でた。

「ふむ、当たるかどうか分からん役者色を頼みにするより、こっちのほうが望みはあるかもしれまへんな」

行灯に照らし出された右近の顔が、にんまりと笑む。

気持ちが逸った。お彩は「それじゃあ」と膝を進める。

「ええ、お彩はんは実にええ案を出してくれました。あとはわての仕事どす」

これで決まった。右近は「深川鼠」で勝負に出る覚悟なのだ。

「番頭はん、番頭はん！」

すかさず声を張り上げて、記帳に忙しいはずの番頭を呼び寄せる。

「はい、なんでしょう」

苛立ちを押し隠しながらやってきた番頭に、右近は容赦なく命じた。

「明日から湊鼠の反物を、集められるだけ集めとくれやす。色無地から小紋まで、手に入るものすべてどす」

「湊鼠、ですか」

「ええ。正月の掘り出し物として売りますよって、それまでに」

めでたい気分と祝い酒で浮かれている、江戸っ子の懐を狙うというわけだ。

「ではそれを、流行り色に？」

ようやく事態が呑み込めたらしく、番頭が尋ねてくる。それには答えず、右近は「やれやれ」と立ち上がった。

「遅うまで引き留めてしもてすんまへんどしたな、お彩はん。送りますよって、仕度してきなはれ」

お彩はまだ色見立てから戻ったままの格好で、着替えを済ませていなかった。

そうだ、急がなければ。辰五郎はもう、家に帰っているだろう。

畳の上に散らかした書物はそのままでいいというので、お言葉に甘えることにした。

「さぁて、大変や。これから忙しくなりますえ」

そう言って、右近が肩を回している。この決断が、どう転ぶかはまだ分からない。だがその立ち姿は、自信に満ち溢れているようだった。

初出　「オール讀物」二〇二一年二月号、六月号、
八月号、十一月号、二〇二二年二月号
本書は文春文庫オリジナルです

文春文庫

定価はカバーに
表示してあります

江戸彩り見立て帖（えどいろどみたてちょう）
朱に交われば（しゅにまじわれば）

2022年5月10日　第1刷

著　者　坂井希久子（さかいきくこ）

発行者　花田朋子
発行所　株式会社 文藝春秋

東京都千代田区紀尾井町 3-23　〒102-8008
TEL 03・3265・1211㈹
文藝春秋ホームページ　http://www.bunshun.co.jp

落丁、乱丁本は、お手数ですが小社製作部宛お送り下さい。送料小社負担でお取替致します。

印刷製本・凸版印刷

Printed in Japan
ISBN978-4-16-791875-0

（　）内は解説者。品切の節はご容赦下さい。

桜庭一樹
私の男
落魄した貴族のようにどこか優雅な淳悟は、孤児となった花を引き取る。内なる空虚を抱えて、愛に飢えた親子が超えた禁忌を圧倒的な筆力で描く第138回直木賞受賞作。（北上次郎）
さ-50-1

桜庭一樹
荒野（こうや）
恋愛小説家の父と鎌倉で暮らす少女・荒野。父の再婚、同級生からの告白、新たな家族の誕生……。十二〜十六歳、少女の四年間を瑞々しく描いた成長物語が合本で一冊に。（吉田伸子）
さ-50-8

桜庭一樹
ほんとうの花を見せにきた
中国の山奥から来た吸血種族バンブーは人の姿だが歳を取らない。マフィアに襲われた少年を救ったバンブーが掟を破って人間との同居生活を始めるが。郷愁誘う青春小説。（金原瑞人）
さ-50-9

桜庭一樹
傷痕
人気ポップスターの急死で遺された十一歳の愛娘〝傷痕〟。だがその出生は謎で、遺族を巻き込みつつメディアや世間の注目の的に。彼女は父の死をどう乗り越えるのか。（尾崎世界観）
さ-50-10

桜木紫乃
ブルース
貧しさから這い上がり夜の支配者となった男。彼は外道を生きる孤独な男か？　女たちの夢の男か？　謎の男をめぐる八人の女の物語。著者の新境地にして釧路ノワールの傑作。（壇　蜜）
さ-56-3

坂井希久子
17歳のうた
舞妓、アイドル、マイルドヤンキー。地方都市で背伸びしながらも強がって生きる17歳の少女たち。大人でも子どもでもない少女の心情を鮮やかに切り取った5つの物語。（枝　優花）
さ-59-2

篠田節子
冬の光
四国遍路の帰路、冬の海に消えた父。家庭人として企業人として恵まれた人生ではなかったのか……足跡を辿る次女が見た最期の景色と人生の深遠が胸に迫る長編傑作。（八重樫克彦）
し-32-12

柴田よしき
風味さんのカメラ日和
地元に戻った風味が通うカメラ教室の講師・知念は天然なイケメン。だが、彼は受講生たちの迷える心を解きほぐしていく。「カメラ撮影用語解説」も収録した書き下ろしカメラ女子小説。
し-34-17

柴田よしき
輝跡
才能に恵まれながら、家庭の事情で一度は夢をあきらめた北澤宏太は育成ドラフトを経て、プロ野球選手になる。元恋人、記者、妻――一人の野球選手をめぐる女性群像物語。（和田　豊）
し-34-18

柴田よしき
風のベーコンサンド　高原カフェ日誌（ダイアリー）
東京の出版社をやめ、奈穂が開業したのは高原のカフェ。訪れるのは娘を思う父や農家の嫁に疲れた女性……。心の痛みに効くカフェご飯が奇跡を起こす六つの物語。（野間美由紀）
し-34-19

大崎　梢・近藤史恵・篠田真由美・柴田よしき・永嶋恵美
新津きよみ・福田和代・松村比呂美・光原百合
アンソロジー　捨てる
連作ではなく単発でしか描けない世界がある――9人の女性作家が持ち味を存分に発揮し、「捨てる」をテーマに競作！　様々な女性たちの想いが交錯する珠玉の短編小説アンソロジー。
し-34-50

大崎　梢・加納朋子・近藤史恵・篠田真由美・柴田よしき
永嶋恵美・新津きよみ・福田和代・松尾由美・松村比呂美・光原百合
アンソロジー　隠す
誰しも、自分だけの隠しごとを心の奥底に秘めているもの――。実力と人気を兼ね備えた11人の女性作家らがSNS上で語り合い「隠す」をテーマに挑んだエンターテインメントの傑作！
し-34-51

重松　清
きみ去りしのち
幼い息子を喪った父。〈その日〉をまえにした母に寄り添う少女。この世の彼岸の圧倒的な風景に向き合いながら、ふたりの巡礼の旅はつづく。鎮魂と再生への祈りを込めた長編小説。
し-38-13

重松　清
また次の春へ
同じ高校に合格したのに、浜で行方不明になった幼馴染み。彼の部屋を片付けられないお母さん。突然の喪失を前に、迷いながら、泣きながら、一歩を踏みだす、鎮魂と祈りの七篇。
し-38-14